Y0-BEE-528

De la même auteure

Parus

- Le royaume de Lénacie

tome 1 : Les épreuves d'Alek
tome 2 : Vague de perturbations
tome 3 : Complots et bravoure
tome 4 : Sacrifice déchirant
tome 5 : Confrontation ultime

À paraître

- Seconde Terre

tome 2 : Identité cachée

SECONDE TERRE

TOME 1 - LA FUITE

Catalogage avant publication de Bibliothèque et Archives nationales du Québec et Bibliothèque et Archives Canada

Poirier, Priska

Seconde Terre

Sommaire : t. 1. La fuite.
Pour les jeunes de 10 ans et plus.

ISBN 978-2-89662-307-5 (vol. 1)

I. Poirier, Priska. Fuite. II. Titre. III. Titre : La fuite.

PS8631.O374S42 2014 jC843'.6 C2013-942543-8
PS9631.O374S42 2014

Édition
Les Éditions de Mortagne
Case postale 116
Boucherville (Québec)
J4B 5E6
Tél. : 450 641-2387
Téléc. : 450 655-6092
Courriel : info@editionsdemortagne.com

Maquette de la couverture
Kinos

Dépôt légal
Bibliothèque et Archives Canada
Bibliothèque et Archives nationales du Québec
Bibliothèque Nationale de France
1er trimestre 2014

ISBN : 978-2-89662-307-5

ISBN (epdf) : 978-2-89662-308-2

ISBN (epub) : 978-2-89662-309-9

1 2 3 4 5 – 14 – 18 17 16 15 14

Imprimé au Canada

Nous reconnaissons l'aide financière du gouvernement du Canada par l'entremise du Fonds du livre du Canada (FLC) et celle du gouvernement du Québec par l'entremise de la Société de développement des entreprises culturelles (SODEC) pour nos activités d'édition. Gouvernement du Québec – Programme de crédit d'impôt pour l'édition de livres – Gestion SODEC.

Membre de l'Association nationale des éditeurs de livres (ANEL)

PRISKA POIRIER

SECONDE TERRE

TOME 1 - LA FUITE

ÉDITIONS DE MORTAGNE

Pour Joseph

Plus que tout, sois heureux !

SOMMAIRE

- 1 -

MAI 2162

Dans son lit en suspension à vingt centimètres du sol, Benjamin dormait. Le dôme au-dessus de lui permettait de l'isoler du bruit. Il aidait aussi à contrôler la température et le niveau d'oxygène afin que son sommeil soit le plus réparateur possible. Ses parents avaient toujours accordé un soin particulier à cet aspect de son bien-être.

« Le sommeil est essentiel à la santé », répétait sans cesse sa mère.

Comme tous les matins, l'adolescent de quatorze ans se réveilla à cinq heures trente. Il appuya sur un bouton orangé qui fit disparaître le dôme qui recouvrait son lit. Puis, il glissa ses jambes dans le vide, sauta au sol et demanda sa musique favorite à l'ordinateur de la maison.

– Ouverture des toiles, ordonna-t-il en s'étirant.

Aussitôt, les fenêtres laissèrent pénétrer dans la chambre les premiers rayons du soleil. Benjamin aimait les matins. L'idée que tout pouvait arriver dans la journée lui plaisait. D'une simple pression du doigt sur la tête du lit, il fit en sorte que ses oreillers s'intègrent au matelas comme si celui-ci les avait aspirés. Le meuble se rangea ensuite à la verticale dans le mur.

L'adolescent sortit de sa chambre et se dirigea vers la salle de bain. Les paroles de sa chanson préférée le suivirent.

Dès qu'il entra dans la pièce, il appuya le pouce sur la petite plaque noire en bas du miroir afin qu'une microgoutte de son sang soit prélevée. Puis, il retira son survêtement, qu'il plaça dans une case, et pénétra dans la douche. Un sourire de bien-être étira ses lèvres. Benjamin avait droit à dix minutes et il était bien décidé à rester sous le jet d'eau chaude jusqu'à la toute dernière seconde. Du coin de l'œil, il lut les informations que lui transmettait le miroir, directement sur le mur de la douche.

Globules blancs :	7000/UI
Globules rouges :	4,8 M/UI
Hémoglobine :	15 g/100 ml
Cholestérol :	1,6 g/l total
Glycémie à jeun :	0,6 g/l
Résultats :	Bilan parfait

RECOMMANDATIONS : Fruits, protéines et produits céréaliers au déjeuner

L'adolescent soupira de soulagement. Ses parents avaient fait installer ce système de test quotidien lorsque leur fils avait atteint le niveau de compétition senior. À ce degré, les résultats d'analyses sanguines pouvaient faire la différence entre participer à la course ou en être expulsé.

Depuis quelques jours, une petite inquiétude avait réussi à faire son chemin dans son esprit, même si son rapport était toujours bon. Sa compétition était dans deux semaines et ça faisait plus d'un an qu'il s'y préparait. Jamais les juges ne le laisseraient participer sans un bilan sanguin parfait.

Lorsque le jet de la douche se fut arrêté et que le séchoir eut fait son travail, Benjamin sortit de la cabine et enfila ses vêtements de la journée. Il posa son technocom sur son poignet gauche. Ce faisant, il vit que Tristan, son meilleur ami, était déjà en ligne. Il ouvrit l'application de sa caméra.

– Salut ! lui envoya-t-il avec un grand sourire.

Tout en surveillant sa réponse, il ramassa sa bague en spirale sur le comptoir et la mit à son pouce. D'aussi loin qu'il se souvienne, le jeune sportif avait toujours eu besoin d'avoir un objet en forme de spirale sur lui pour se sentir bien. Son frère aîné Jacob l'avait très bien compris ; aussi, à son douzième anniversaire, lui avait-il offert en cadeau un tatouage en forme de tornade. C'était un des plus beaux cadeaux qu'ait jamais reçus Ben. Il avait fait dessiner la petite spirale bleue à l'intérieur de son poignet droit dès la semaine suivante.

Soudain, l'image de Tristan apparut dans les airs à un mètre de lui.

– Bonjour à toi aussi, lança son ami.

Benjamin sursauta. Il avait gardé déverrouillée la fonction « hologramme » de son technocom. En voyant les cheveux en broussaille et les yeux cernés de son ami, il lui dit sans ménagement :

– Hiiii ! T'as l'air amoché !

– Ouais. Ça m'a pris une partie de la nuit pour réussir le niveau huit de *LGZ3*.

Tristan était un fan de jeux vidéo. Les deux amis se connaissaient depuis que la famille Maska avait emménagé dans leur immeuble d'habitation. À cette époque, ils avaient tous deux quatre ans et fréquentaient la même garderie. Ils étaient immédiatement devenus amis. Au fil des ans, l'un avait développé une passion pour le sport et l'autre, pour les jeux informatiques. Cette différence n'avait en rien entaché leur belle amitié.

– Je vais déjeuner, lui apprit Ben. Retrouve-moi au collège, OK ?

– Dix quatre, répondit Tristan, qui adorait utiliser de vieilles expressions.

Distraitement, Benjamin passa un pouce sur son tatouage tout en empruntant le corridor menant à la cuisine. Un nouvel air de musique parmi sa sélection favorite le précédait de quelques secondes à chaque pas. La bonne odeur de pain rôti fit gargouiller son ventre et il accéléra. Lorsqu'il entra dans la cuisine, sa mélodie s'éteignit. Son frère, Jacob, leva la tête.

– Hé ! Ma musique ? bougonna son aîné, dont le choix musical venait d'être annulé également.

Leurs parents avaient programmé l'ordinateur de la maison pour que deux airs ne puissent pas jouer en même temps au même endroit. S'ils voulaient de la musique, les deux frères devaient s'entendre et faire une nouvelle sélection.

– Bonjour à toi aussi ! le salua Benjamin, comme si son frère était d'excellente humeur.

L'effet fut immédiat. Jacob se radoucit et lui rappela :

– Souviens-toi qu'on a un entraînement ce soir à dix-neuf heures.

Sitôt son dernier mot prononcé, il engouffra en une seule bouchée la seconde moitié de ce qui était sûrement sa quatrième rôtie.

Si elle avait été dans la pièce, leur mère aurait été scandalisée par cette mauvaise habitude. À cette pensée, Ben sourit. Puis, pour répondre à son frère, il désigna son technocom sur son avant-bras gauche.

– Je sais, monsieur l'entraîneur. Tu as mis au moins trois rappels sur mon agenda.

La bouche pleine, Jacob marmonna :

– Ge d'adendrai rau centre portif de l'immeube C.

Puis, sa bouchée avalée, il poursuivit plus clairement :

– Nous ferons une simulation de tempête de neige afin de voir comment je m'en sors dans l'analyse des vents et toi, dans l'application de mes directives.

Son cadet approuva le programme d'un hochement de tête en sélectionnant son déjeuner sur l'écran tactile de la table. Ayant terminé son repas, Jacob se leva et quitta la pièce.

Depuis toujours, Benjamin s'était bien entendu avec son frère aîné, qu'il considérait comme son deuxième meilleur ami. Ils avaient beaucoup de choses en commun, mais la plus importante était leur passion pour le skiroulo.

Ce sport de vitesse avait été créé pour les Jeux olympiques de 2070. Déjà à cette époque, la plupart des montagnes ne se recouvraient plus de neige l'hiver. La température extérieure empêchait aussi l'utilisation de la neige artificielle, qui fondait en quelques heures.

Voyant cela, des ingénieurs et des investisseurs avaient entrepris de construire de gigantesques arches qui produisaient de la neige et qui maintenaient un climat froid, en repoussant les rayons du soleil. Étant donné que le processus était très dispendieux, on décida d'ajouter deux volets à ces descentes en ski : la terre et l'eau. C'est ainsi qu'était né le skiroulo.

Le parcours était divisé en trois parties. Du haut d'une montagne, le skirouloi s'élançait sur une planche à neige jusqu'à ce que la neige cède sa place à la terre et au gravier ; des roues devaient alors être ajoutées à la planche afin que la descente se poursuive.

Toujours en zigzaguant sur la pente, on parvenait au dernier tiers du trajet, une rivière. La descente des rapides devait se faire à l'aide de la même planche.

Benjamin adorait ce sport et il rêvait d'être l'un des plus grands skiroulois de tous les temps. Il se voyait déjà voyager à travers le monde et remporter les prix les plus prestigieux. Bien sûr, Jacob serait toujours son entraîneur.

Le nom des frères Maska serait connu de tous les jeunes des cités. S'imaginant devant des caméras en lévitation, le sportif s'inventa un discours pour une conférence de presse. Il en était aux remerciements lorsque Jacob revint dans la pièce.

– Il est presque temps de partir pour le collège et maman t'a laissé un message qui clignote en rouge sur tous les écrans de la maison depuis cinq minutes.

– Hum... C'est quoi ? le questionna Ben en se levant pour déposer sa vaisselle sur le plateau de nettoyage automatique.

– C'est ta semaine d'épicerie.

L'adolescent se frappa le front avec la paume de sa main.

– J'avais complètement oublié.

En fait, sa responsabilité lui était revenue en mémoire à deux reprises la veille au soir, mais il avait préféré jouer avec

Tristan à la nouvelle version de *Loïk 5.1*, grâce à laquelle il pouvait se mesurer aux plus grands champions de skiroulo de façon virtuelle.

Le jeune athlète observa l'heure sur son technocom et comprit qu'il n'avait que quelques minutes pour faire le choix des repas de la famille pour toute la semaine. Le résultat risquait d'être intéressant...

- 2 -

REPAS ÉPICÉ

Benjamin courut vers le salon. Le message laissé par sa mère clignotait effectivement dans le couloir et dans la pièce.

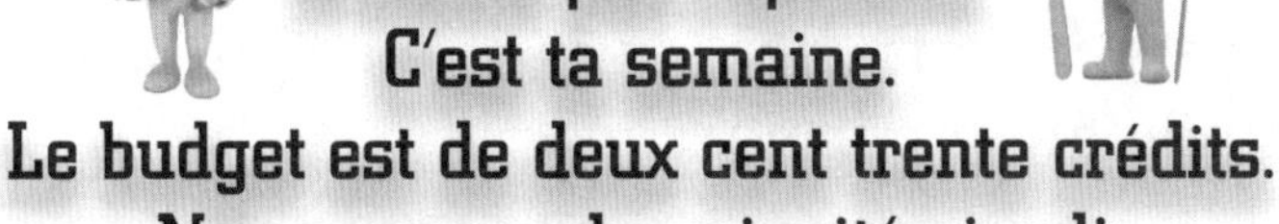

L'adolescent s'approcha de l'écran du salon et entra le nombre de crédits ainsi que le nombre de personnes pour chacun des repas de la semaine. Aussitôt, un choix de menus apparut en fonction des réserves contenues dans le garde-manger et du montant alloué pour l'achat de nouveaux aliments. Benjamin parcourut la liste des yeux en sélectionnant au fur et à mesure les repas qu'il souhaitait. Comme d'habitude, Jacob y alla de ses suggestions.

– Un macaroni aux lentilles... un couscous aux poivrons... Oh, Ben, choisis les sushis... s'il te pllaaaîîîîttttt !

– Oui pour le couscous et les sushis, mais pas le macaroni aux lentilles. Yark ! Si tu le veux, tu le choisiras quand ce sera ta semaine.

L'adolescent voulait bien faire plaisir à son frère, mais il y avait des limites ! Il attendit que la liste des ingrédients manquants fût affichée, puis il envoya la commande au supermarché.

– Et voilà !

L'accusé de réception de l'épicerie apparut à l'écran avec un choix d'heures pour la livraison. Ben sélectionna dix-huit heures, car il était certain d'être là. Puis, d'un mouvement du doigt, il projeta les renseignements sur le mur-écran du salon afin d'en informer sa mère, qui était déjà partie travailler.

– Allons-y maintenant, lança Jacob en appuyant sur une touche de son bracelet pour commander son aérosolo.

Benjamin l'imita. Comme les cours de Jacob se terminaient plus de deux heures après les siens, il avait décidé de se rendre à l'école de son côté pour pouvoir en revenir quand bon lui semblerait.

Les véhicules au profil aérodynamique arrivèrent devant la porte-fenêtre du condo. Celui de Ben était le premier. Il se positionna vis-à-vis du marchepied du trentième étage de l'édifice. L'ouverture des portes du condo et de la voiture volante se fit en même temps et un dôme de sécurité se forma entre elles. L'adolescent s'assit sur son siège en mimant une tornade, son index et son majeur collés ensemble. C'était leur signe secret. Jacob y répondit avec un large sourire.

– Collège Saint-Bernard, prononça distinctement le jeune skirouloi afin que l'ordinateur enregistre sa destination.

– Onze minutes, répondit la voix informatisée.

Benjamin aimait faire le trajet de son immeuble au collège, car il devait contourner les tours d'habitation par l'extérieur. Ce faisant, il pouvait voir la forêt à perte de vue d'un côté et la ville de l'autre. La famille Maska appréciait autant la nature que la vie urbaine. Toutefois, très peu de gens de leur connaissance souhaitaient revenir en arrière et vivre au niveau du sol comme leurs ancêtres.

Il est vrai que la vie dans les trente-deux tours d'habitation de leur cité était simple et bien rodée. À l'abri des variations de température, tout le monde avait facilement accès à son logement, à son travail ou, comme Ben, à ses études.

Arrivé devant le vingt-cinquième étage de l'immeuble dans lequel était le collège, le sportif soupira de découragement. Sa compétition était dans deux semaines.

« J'aurais tellement eu mieux à faire aujourd'hui que de venir à l'école », pensa-t-il.

S'il n'en avait tenu qu'à lui, il se serait plutôt entraîné tous les jours du matin jusqu'au soir. Ce n'est pas qu'il n'aimait pas l'école, mais ça ne lui avait jamais permis de vivre des sensations aussi intenses que de dévaler une pente à cent kilomètres-heure.

– De toute façon, à quoi bon étudier toutes ces matières ? demanda-t-il à son reflet dans la vitre.

Il pouvait comprendre que son français oral et écrit devait être parfait s'il voulait que son oreillette traductrice fonctionne adéquatement et que les autres le comprennent. Il savait aussi que les mathématiques lui serviraient pour les calculs de vitesse, de masse et de pression pendant ses compétitions, tout comme la géographie, car, s'il perçait dans son sport, il serait appelé à se rendre sur les montagnes de tous les continents. Mais que de temps perdu avec l'histoire, l'informatique-aérospatiale et l'astronomie !

« Ce n'est pas comme si j'avais l'intention d'aller visiter la constellation du Verseau un de ces jours ! »

Il sortit de son véhicule monoplace, qui se dirigea seul vers le stationnement au sol. À peine une minute plus tard, Jacob arriva et les deux frères prirent le chemin du collège. Tristan les rejoignit au moment où ils arrivaient aux ascenseurs.

– Hiii ! T'es amoché, lança Jacob en voyant Tristan.

– Vous vous êtes consultés ou quoi ? répondit Tristan d'un ton insulté en passant une main dans ses cheveux pour tenter d'arranger un peu les choses.

En riant, Ben prit place avec son ami sur un carré d'ascenseur. Il donna leur destination.

– Quarante-cinquième étage, collège Saint-Bernard.

Tout autour d'eux, des parois transparentes montèrent du plancher et, pendant que Benjamin saluait son frère de la main, leur compartiment s'éleva. À l'étage demandé, leur carré de plancher poursuivit horizontalement sa route sur quelques centaines de mètres. Lorsque les parois réintégrèrent le sol, les deux amis se trouvaient devant une des portes du collège, qui s'ouvrit automatiquement devant eux.

Ils marchèrent jusqu'à leur salle de classe et y entrèrent. Les deux adolescents prirent place sur leurs chaises respectives. Seuls cinq autres élèves avaient commencé leur journée d'apprentissage.

– On se revoit au dîner, dit Ben en actionnant sans attendre l'interrupteur de son écran.

– Ouais. Plus vite on commence, plus vite on finit, marmonna Tristan pendant qu'une bulle antibruit se formait autour de lui et que son professeur virtuel apparaissait.

Quatre heures plus tard, Benjamin put enfin éteindre son ordinateur. La station de travail de Tristan était déjà vide. L'adolescent ne s'en formalisa pas. Il n'était pas rare que son ami arrête son avant-midi plus tôt parce qu'il mourait de faim.

Sans attendre, il se dirigea vers la cafétéria. Dès qu'il y entra, il prit place dans la file pour commander son repas. En même temps, il pianota sur son technocom afin de repérer son meilleur ami dans la salle.

Soudain, l'élève devant lui recula d'un pas et lui écrasa les orteils de tout son poids. Ben leva vivement la tête en essayant de retirer son pied. Peine perdue ! Il reconnut alors l'adolescent devant lui : William Lessard ! Son pire ennemi... Son plus grand compétiteur en skiroulo.

À seize ans, William était craint de la majorité des jeunes du complexe. Benjamin le détestait depuis qu'il l'avait enfermé dans le système de ventilation de son immeuble. Il venait juste d'avoir neuf ans et il avait eu la peur de sa vie en se promenant dans le labyrinthe de tuyaux pour chercher une sortie. Lorsqu'il l'avait trouvée, sa peur s'était muée en colère et il avait décidé de se venger. Toutefois, comme il n'était pas violent, il choisit une méthode plus longue, mais tout aussi efficace contre quelqu'un comme William. Il s'entraîna avec acharnement au skiroulo.

Le mois suivant, il battait à plate couture le bourreau de son immeuble sur une piste de skiroulo. Par le fait même, il devenait le plus jeune champion de son complexe d'habitation.

Depuis, William Lessard ne cessait de chercher à l'espionner et à l'humilier. Plutôt que de le décourager, ces attaques incessantes motivaient Ben à s'entraîner davantage pour devancer son adversaire à chaque compétition. Il n'y parvenait pas toujours, mais, lorsque c'était le cas, la colère qu'il lisait sur le visage de son ennemi le récompensait pour ses efforts.

– Oh, c'est toi, lança William en écrasant encore un peu plus les orteils de Ben, comme s'il ne s'apercevait pas qu'il y avait une bosse sous son talon. J'ai su que tu t'étais inscrit à la compétition en Gaspésie, ajouta-t-il. Ce sera un bon exercice pour toi. C'est une piste d'experts. Je suis surpris que les organisateurs t'aient accepté malgré ton âge. J'espère que tu ne trouveras pas ça trop humiliant.

– Ne te fais pas de souci, le rassura Benjamin en penchant tout son corps vers l'avant, de façon à obliger William à avancer et à retirer son pied. Je n'ai jamais été aussi bien préparé pour une course.

L'enjeu de la prochaine compétition était une bourse de quatre mille crédits et un long congé d'école. Les organisateurs avaient réussi à bien garder le secret sur la nature de ces vacances. On avait simplement annoncé que le gagnant partirait de trois semaines à deux mois. La curiosité était vive et les suppositions les plus farfelues germaient entre les sportifs.

– Pfff... Comme si tu avais une petite chance de gagner, ironisa William en lui tournant le dos pour prendre son plateau-repas.

Il s'éloigna vers la table qu'il partageait avec ses amis pendant que Ben appuyait sa main sur la plaque de commande de repas. Les goûts en matière d'assaisonnement étaient enregistrés dès le début de l'année scolaire. Les repas étaient toujours préparés avec la bonne quantité de sel, d'épices et de sauce. Lorsque son plateau arriva, l'adolescent avait repéré Tristan et se dirigea vers lui.

Benjamin prit place à la table. Affamé, il mordit à pleines dents dans son sandwich. Quelques secondes plus tard, sa langue et sa gorge s'enflammaient. Le jeune skirouloi fut persuadé qu'il ne parviendrait jamais à reprendre son souffle. Suant à grosses gouttes, les yeux exorbités, il se leva et se mit à giguer sur place sous les rires et les applaudissements des élèves de l'école.

De grosses larmes roulaient sur ses joues pendant que ses papilles gustatives étaient incendiées. À la table voisine, Jacob se leva et courut vers la distributrice. Il pianota son mot de passe et lui rapporta un verre d'Affadolite. Le liquide vert et pâteux dégageait une odeur nauséabonde et avait un goût écœurant, mais il avait le don d'éliminer toute trace d'épices en quelques secondes. Ben en avala et en laissa une bonne quantité dans sa bouche afin de calmer la douleur.

En s'essuyant les yeux, il vit William qui lui envoyait la main de l'autre côté de la pièce. Son ennemi avait un sourire victorieux au visage. Benjamin enragea. C'était à coup sûr William qui avait modifié les épices de son repas. Comment avait-il fait pour avoir accès aux ordinateurs des cuisines ?

La colère lui fit serrer les mâchoires. Tout le monde le regardait en s'amusant de sa petite danse improvisée. L'adolescent se sentit profondément humilié. Puis, une parole de son grand-père Zachary lui vint à l'esprit. « On admire toujours ceux qui savent rire d'eux-mêmes et semer la bonne humeur. » Benjamin décida que William ne l'emporterait pas. Il plaça son bras droit sur son ventre, claqua ses talons ensemble et fit une révérence à ses camarades de collège, comme si sa prestation avait été planifiée pour les distraire.

- 3 -

ISKAY

L'après-midi débuta très lentement. Benjamin avait la langue râpeuse et douloureuse, un peu comme si on lui avait arraché une fine couche de peau sur toute sa surface. Malgré les minutes écoulées, sa colère envers William n'avait pas diminué, loin de là.

– Il va me payer ça ! se promit-il en revoyant mentalement l'affreux petit sourire de satisfaction de son ennemi.

En regardant son ordinateur et le programme de son cours de français, il sentit un soupir d'exaspération lui échapper. Tous les habitants de la Terre devaient avoir une parfaite maîtrise de leur langue maternelle pour que les oreillettes traductrices qu'ils portaient, de même que le système Trad des ordinateurs et des technocoms, fonctionnent.

Benjamin s'acharna donc sur ses exercices pendant plus d'une heure. Puis, il passa à l'astro-histoire. Il se mit debout pour se délier les jambes pendant que le cours commençait.

« La leçon du jour porte sur la découverte de la planète Iskay dans la constellation de la Baleine », annonçait son professeur virtuel.

« Yé ! se dit Ben. Enfin quelque chose d'intéressant ! »

Sur les parois de la bulle antibruit qui l'entourait, les images se mirent à se succéder au fur et à mesure que son professeur parlait.

« Entre les années 1950 et 2050, la Terre a connu une augmentation importante des quantités de gaz à effet de serre dans l'atmosphère. Avec les années, cela causa le réchauffement de la planète. Les calottes glaciaires ont fondu. Le niveau de la mer a augmenté de près de trente-quatre mètres. Chaque continent a perdu la majorité de son territoire habité. »

Pour illustrer cela, une carte du monde tel qu'il existait en 2010 fut affichée.

– Wow ! s'exclama Benjamin, surpris par la grandeur des continents. C'était immense !

Un calendrier apparut à sa gauche et les années se mirent à défiler à partir de 2020. En même temps, Ben observa la mer qui grugeait du terrain sur tous les continents jusqu'à ce qu'il se retrouve devant la carte géographique de 2162.

« Des millions de personnes ont dû se réfugier vers le centre des continents, racontait son professeur virtuel. Cela a entraîné la disparition de centaines d'espèces animales et végétales. »

Des images d'animaux, d'arbres et de plantes que l'adolescent ne connaissait pas défilèrent les unes après les autres.

– C'est incroyable, murmura-t-il, estomaqué, en se laissant tomber sur sa chaise.

« Les bouleversements climatiques comme les inondations, la sécheresse et les cyclones ont augmenté. On nota également une baisse des récoltes et une diminution des ressources en eau potable. La surpopulation et la chaleur ont également contribué à l'augmentation des maladies contagieuses. À cette époque, les morts se comptaient par milliers. »

Les images qui vinrent soutenir les dernières paroles du professeur firent grimacer de dégoût Benjamin.

– Qu'a fait le gouvernement ? demanda-t-il.

« Les gouvernements des plus grandes nations se sont réunis à huis clos pendant deux semaines », répondit la voix informatisée. « Il était impératif qu'ils se serrent les coudes pour trouver des solutions en laissant de côté les vieilles querelles. »

– En effet, approuva l'adolescent.

« Au cours des années suivantes, on imposa un maximum de deux enfants par famille. Les immenses complexes d'habitation que nous connaissons virent le jour. Les maisons individuelles et les routes terrestres furent détruites et remplacées par des kilomètres et des kilomètres carrés de forêt. Les voitures fonctionnant à l'essence furent définitivement retirées de la circulation. »

« Ils en ont mis, du temps ! » estima le sportif, la tête encore remplie des images des cadavres.

– Et ensuite ? demanda-t-il à son professeur virtuel.

« Les grandes puissances mondiales envisagèrent une autre solution : chercher ET trouver une nouvelle planète habitable, peu importe combien ces recherches coûteraient. C'est ainsi qu'on prêta attention à une étoile située à 8,6 années-lumière de la Terre : la naine blanche Sirius B. Elle venait juste de se transformer en trou noir lorsqu'elle rejeta deux météorites. Un trou noir ne pouvant qu'aspirer la matière, les scientifiques comprirent qu'ils s'étaient trompés. Ils ne se trouvaient pas devant un trou noir, mais bien devant un trou de ver. »

L'image d'un trou de ver apparut.

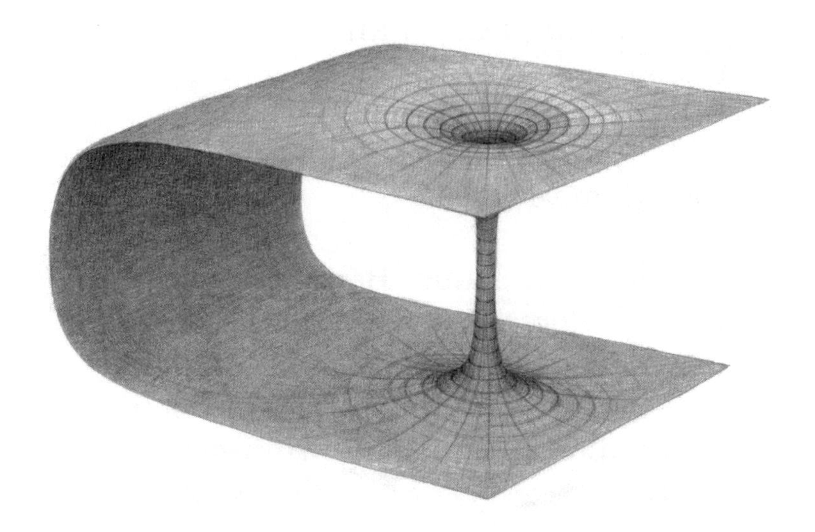

Tout le monde connaissait l'existence de ces tunnels. Ils permettaient de parcourir des millions de kilomètres en quelques secondes ou encore de passer d'une époque à une autre. Benjamin avait toujours trouvé qu'un trou de ver ressemblait à deux entonnoirs collés ensemble par leur plus petite partie.

« C'est insensé que mes propres ancêtres aient considéré cela comme de la science-fiction », pensa-t-il.

« On envoya des microsondes à la vitesse de la lumière, poursuivit son enseignant, et, dix-huit ans plus tard, elles transmirent une nouvelle inespérée : une planète habitable dans la constellation de la Baleine, à plus de cinquante années-lumière de la Terre. »

– La planète Iskay, devina l'adolescent. La deuxième Terre.

Le siège sur lequel Benjamin était assis se pencha alors jusqu'à ce que l'étudiant soit couché sur le dos et observe la constellation en question. Un zoom se fit lentement sur un astre pendant que le professeur poursuivait.

« Aujourd'hui, les scientifiques nous assurent que la survie des humains sur la Terre n'est plus menacée. Les villes ont été modifiées en hauteur et les botanistes aident les forêts à renaître. Malgré tout, le projet de vie sur Iskay a fait son chemin et, à l'heure où je vous parle, trois vaisseaux d'humains sont déjà partis pour cette terre promise. »

Toujours allongé sur sa chaise, Ben, émerveillé, visionnait pour la dixième fois au moins les premières images reçues de cette nouvelle planète : le ciel violet et l'océan mauve aux reflets bleus ; les forêts aux arbres tortueux et couverts de mousse ; les grosses vaches vertes qui levaient leur drôle de tête au passage de la caméra.

« C'est extraordinaire », pensa le sportif à plusieurs reprises.

– Dommage qu'elle se trouve si loin, marmonna-t-il, j'y serais bien allé quelques jours en vacances.

Vers quatorze heures, Benjamin termina ses cours. Il envoya un message à Tristan pour lui annoncer qu'il rentrait chez lui. Son ami était toujours dans sa bulle d'apprentissage.

Quelques minutes plus tard, par la vitre de son aérosolo, Ben observait les immeubles de son complexe d'habitation. Depuis la fin du vingt et unième siècle, les complexes avaient remplacé les vieilles villes, qui occupaient de trop grandes étendues de terre cultivable et de forêts. Chacun d'eux était composé de trente à quarante immeubles d'environ soixante-quinze étages. Chacun abritait près de trois cent cinquante condos, des magasins, des bureaux et un étage consacré à un élément de la vie communautaire en particulier, tel qu'une école, un centre sportif ou une salle de spectacle.

Le passage magnétique qu'empruntait présentement l'adolescent conduisait son véhicule directement à la porte-fenêtre de son logement. Au loin sur sa gauche, il pouvait voir le fleuve Saint-Laurent. Benjamin avait appris que, plus de cent ans auparavant, il y avait une ville qui s'appelait Montréal au centre de celui-ci. C'était difficile à imaginer aujourd'hui en regardant l'étendue d'eau d'une largeur de plus de soixante kilomètres.

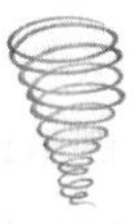

À peine une minute après être revenu du collège, Jacob surgissait dans la chambre de Benjamin.

– Regarde ça, le frère ! lança-t-il avec enthousiasme en pianotant sur le clavier de Ben et en ouvrant trois nouvelles fenêtres sur son mur-écran. Talalam !!! Le concours est ouvert !

– Quel concours ?

– Destination Iskay ! déclara Jacob d'un ton glorieux.

– Le quatrième vaisseau pour Iskay est déjà terminé ?

– Presque. Il le sera dans une dizaine de mois. Il ne reste qu'à sélectionner les cent cinquante humains qui pourront monter à bord. Tout le monde ne parle que de ça.

– Je pensais que c'était déjà décidé...

– En fait, lui expliqua Jacob, un tiers des places sont déjà prises par ceux qui ont les moyens de les payer. Tu imagines ? Papa dit qu'elles se sont vendues aux enchères à plus de vingt millions de crédits chacune. Et un deuxième tiers des places est donné à des humains spécialisés dans diverses disciplines ou métiers.

C'était logique. Bâtir un nouveau monde ne pouvait se faire sans des ingénieurs en robotique, des concepteurs de biosphère, des généticiens, des biologistes, des médecins et des gens pratiquant des métiers manuels.

– Il ne reste donc en fait que le dernier tiers, déduisit Ben.

L'adolescent se rappela que les cinquante dernières places étaient attribuées par l'entremise d'un concours. La compagnie qui organisait le transport vers Iskay s'appelait Zelfor. Comme le voyage durait cinquante ans, les passagers devaient tout d'abord se rendre sur la Lune pour recevoir un virus qui triplait leur espérance de vie.

Pour financer la construction du vaisseau ainsi que le voyage lui-même, Zelfor offrait une chance aux citoyens de faire partie de l'expédition. En effet, moyennant un certain montant de crédits, tout le monde pouvait s'inscrire. Un jury éliminait les candidats jusqu'à ce qu'il n'en reste plus que deux mille.

On regroupait ensuite tous les heureux élus sur une base d'entraînement. Les vingt-cinq hommes et les vingt-cinq femmes qui réussissaient le mieux les défis présentés trouvaient automatiquement une place sur le vaisseau spatial.

D'un geste de l'index, Benjamin fit apparaître la liste des critères du concours. Il lut à voix haute :

- ❑ Être un humain.
- ❑ Avoir entre quatorze et trente-neuf ans (présenter une autorisation parentale si âgé de moins de dix-huit ans).
- ❑ Avoir un niveau de scolarité supérieur à U3 (sauf si mineur).
- ❑ Avoir un bilan de santé impeccable.
- ❑ Avoir une santé mentale stable.

- ❑ Ne pas avoir d'implant majeur ou de handicap.
- ❑ Ne pas avoir de responsabilités parentales.
- ❑ Ne pas avoir de casier judiciaire.
- ❑ Défrayer les coûts d'inscription, fixés à trois mille crédits.
- ❑ Envoyer une vidéo de présentation aux responsables avant le 20 juin 2162.

– Ensuite, dit Ben d'une voix tonitruante comme un vendeur présentant l'offre du siècle, tous les concurrents retenus pourront aller passer quelques mois dans un camp d'entraînement où on les épuisera avec plaisir !!! Ils sueront, pleureront, auront faim, auront peur et seront éliminés au fil des semaines jusqu'à ce qu'il n'en reste plus que cinquante !!! Venez ! Participez ! Donnez-nous vos crédits et courez la chance d'être de nouvelles vedettes instantanées sur le wibi !!!

– Moque-toi tant que tu veux, soupira Jacob. C'est une offre qui ne passe pas tous les jours.

– Tu veux dire celle d'aller mourir sur une planète à peine habitable... SI le vaisseau s'y rend vraiment ?

– Tu exagères ! Tu as visionné comme moi toutes les vidéos qu'a envoyées le premier groupe de colons d'Iskay.

Jacob disait vrai. Le premier vaisseau, parti en 2103, était arrivé sur Iskay en 2153. Comme il fallait neuf ans aux microsondes pour parcourir le chemin du retour à la vitesse de la lumière, les Terriens n'avaient commencé à recevoir des images de leur installation que depuis quelques mois. La planète semblait magnifique et les colons s'y installaient rapidement. Chaque nouvelle vidéo confirmait cela. Le nombre de candidatures pour aller les rejoindre atteindrait sûrement des sommets inégalés.

Malgré tout, Benjamin ne comprenait pas cet engouement. Il considérait la Terre comme la planète la plus belle qui soit. Il était enthousiaste vis-à-vis de son avenir et des possibilités qui s'offraient à lui.

Du coin de l'œil, l'adolescent observa son frère. Bien que celui-ci fût de trois ans son aîné, leur complicité ne s'était jamais démentie. Une certitude s'imposa alors à lui.

– Tu as l'intention de participer !!

- 4 -
SURPRISES À L'HORIZON

Le visage de Jacob se décomposa.

– Je n'en ai pas les moyens.

– Et si tu les avais ? Tu le ferais ?

– Imagine un peu, Benjamin. Vivre deux cent soixante-quinze ans. Découvrir une nouvelle planète, un monde vierge où tout est possible... Laisser sa trace dans l'Histoire...

Et, pendant qu'il continuait à parler, Ben comprit que ce n'était pas la première fois que son frère imaginait cette vie. De la même façon que lui voulait être un champion de skiroulo, Jacob rêvait de ce monde nouveau.

– Si je gagne la semaine prochaine, tu auras tes crédits, décida le sportif. Tu as intérêt à faire une bonne présentation pour ne pas les gaspiller et être choisi comme concurrent.

Jacob regarda son frère d'un œil incrédule.

– Tu ferais cela ?

– Pour toi, oui.

– Tu es le meilleur frère qu'on puisse souhaiter, souffla Jacob, sincèrement touché par le geste de Ben.

Le voyant lumineux du système d'intercom s'alluma.

– Les garçons ! les appela leur mère. À table dans deux minutes. N'oubliez pas de désinfecter vos mains.

– Papa et maman ne te laisseront peut-être pas faire, le prévint Benjamin. Ils sont tellement protecteurs ! Ils acceptent juste que nous allions aux compétitions en dehors du complexe parce que nous sommes ensemble. Et encore... je m'attends toujours à ce qu'ils refusent.

– Tu n’auras qu’à venir avec moi !

– Oublie ça tout de suite ! Je n’ai aucun goût pour ce genre d’aventure.

Le lendemain matin, dès que sa capsule régulatrice d’oxygène et de température fut retirée, Ben sauta du lit et donna l’ordre à l’ordinateur de la maison de lui transmettre ses messages.

« Mardi, 25 mai 2162 : cinq heures quinze », entendit-il.

L’image de Maïka, sa mère, fut projetée sur le mur devant lui. Elle tenait un verre de protéines liquides roses dans sa main.

« Bonjour, trésor ! J’ai dû partir travailler plus tôt ce matin. N’oublie pas que nous avons rendez-vous à seize heures. Je t’envoie un rappel sur ton technocom. C’est à mon tour de choisir l’activité. Que dirais-tu de suivre un cours de sourpy ? Il paraît que c’est excellent pour développer la coordination et la fluidité des mouvements. Ça pourrait t'aider pour tes compétitions. À ce soir ! »

Sa mère lui proposait un cours de danse ? Rien que ça ! Benjamin était persuadé qu'elle devait avoir eu toutes les difficultés du monde à lui laisser ce message sans éclater de rire.

« Tu veux te venger parce que je t'ai entraînée dans un cours de vol plané le mois dernier, c'est ça ? » songea l'adolescent en fixant le mur où il pouvait encore voir l'image statique de Maïka.

Rira bien qui rira le dernier ! Sa mère n'avait aucun sens du rythme. Il allait accepter le défi et lui montrer qu'un skirouloi était parfaitement capable d'apprendre à danser. Benjamin aimait ce petit jeu auquel Maïka et lui se livraient au cours des cinq heures hebdomadaires d'activités parentales prescrites par la loi. Depuis deux ans, ils choisissaient à tour de rôle un cours et c'était à qui imposerait de nouvelles limites à l'autre. Étonnamment, l'adolescent avait découvert en sa mère quelqu'un de beaucoup plus aventurier qu'il ne le pensait au départ et qui n'avait pas peur d'escalader des montagnes, de faire de la plongée sous-marine ou de se laisser tomber dans le vide, comme le mois dernier.

Avec son père, ses activités parentales obligatoires étaient tout autres. Edmond proposait à son fils des apprentissages intellectuels et manuels de plus en plus complexes. Dans la dernière année, ils avaient exploré ensemble les sous-sols de la Terre par l'intermédiaire d'un simulateur, démonté puis remonté un ordinateur-bracelet, suivi un cours de conduite ainsi que des leçons d'hindi.

Soudain, la sonnerie du téléphone retentit. C'était sa mère.

– Appel accepté, dit le sportif.

Il vit le visage de Maïka apparaître à l'écran avec en arrière-plan les couloirs de l'institut pharmaceutique pour lequel elle travaillait. Visiblement, elle se rendait dans sa salle d'analyse et elle marchait rapidement.

– Bonjour, Ben ! J'espère que tu as bien dormi. Ton père et moi avons décidé de célébrer comme il se doit la fête de Jacob. Il y a plusieurs semaines déjà, nous avons réservé pour vendredi quatre places pour la joute de hockey réunissant les meilleurs joueurs internationaux.

– Nous les verrons en vrai ? la questionna Ben, plein d'espoir.

– Oui, oui. Ce sera sur la base aérienne de transit numéro onze. Réserve ta soirée. Nous allons bien nous amuser, mon lapin !

– Mon lapin ? répéta l'adolescent, scandalisé.

– J'imagine que ce petit animal n'est pas assez rapide pour mon sportif de fils ! Tu aurais préféré que je t'appelle ma gazelle ?

– Pff ! N'importe quoi !

– Mon lionceau ?... Mon petit guépard ?... Mon faucon pèlerin d'amour ?

Benjamin riait. Sa mère était complètement folle ! Heureusement qu'aucun de ses amis ne pouvait l'entendre.

– Merci, maman ! Ce sera un super cadeau pour Jacob.

– Je le crois, oui... Hum...

Maïka pencha la tête sur le côté.

– Passe donc un peigne dans tes cheveux avant d'aller au collège, d'accord ?

Ben leva les deux bras et fit glisser une main dans sa tignasse de chaque côté de son crâne.

– C'est fait ! Bonne journée, maman !

Il lui envoya la main et éteignit la communication en riant. Puis, il se dirigea vers la salle de bain afin de dénicher le bon outil.

Wow ! Un match en vrai ! Et pas n'importe lequel ! La joute de vendredi était exceptionnelle. Les deux meilleures équipes mondiales s'affronteraient et il fallait payer pour avoir accès à la diffusion, même chez soi. Normalement, les matchs étaient retransmis gratuitement sur le plateau holographique de chaque demeure. Cela permettait de voir les joueurs évoluer sur la patinoire exactement comme si on se tenait au-dessus d'eux ou à leurs côtés. Ben avait toujours l'impression d'être un géant en train de regarder de petites figurines bouger.

« Jacob sera aux anges ! » estima-t-il.

Soudain, un drôle de piaillement lui parvint du salon.

« Zachary ! » pensa-t-il.

L'adolescent changea de trajectoire au pas de course et, comme il l'espérait, trouva l'oiseau dans la cage du salon. Il n'y avait que son grand-père Zachary pour penser à utiliser un moyen de communication aussi archaïque. Aucune image, aucune adresse et surtout aucune trace électronique. Pour une raison inconnue de Benjamin, son grand-père vivait retiré du monde dans une maison au centre d'une forêt qui lui appartenait : des hectares et des hectares de terre. Ça devait valoir une véritable fortune... de quoi acheter au moins deux passages vers Iskay.

Jacob et Ben n'avaient pas la permission de parler de leur grand-père ou de l'endroit où il vivait à qui que ce soit. Les deux frères avaient souvent interrogé leurs parents à ce sujet, car ils ne comprenaient pas cette lubie de Zachary. Ils n'avaient pourtant jamais reçu de réponses satisfaisantes.

Le jeune sportif décrocha le petit tube de la patte du pigeon.

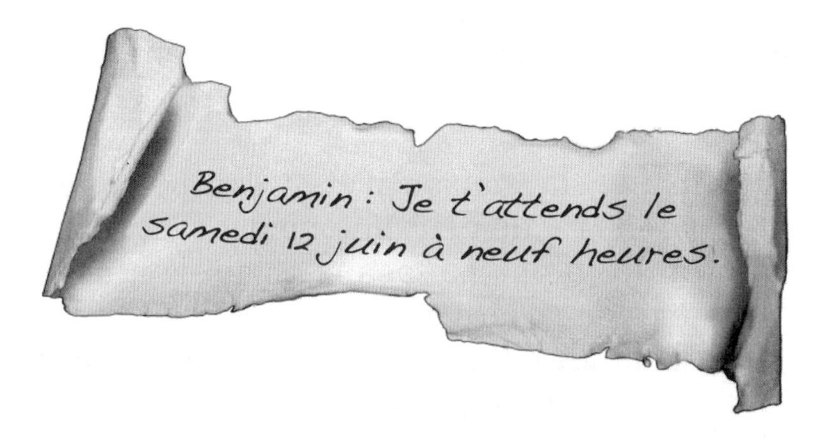

Une fin de semaine avec son grand-père en plus ! Yé ! C'était une invitation qu'il ne pouvait pas refuser.

Ben adorait le temps passé chez son grand-père. Chaque année, Jacob et lui s'y retrouvaient pendant la moitié de leurs vacances d'été et pendant plusieurs fins de semaine au cours de l'année. Parfois, ils étaient ensemble et, parfois, ils étaient séparés.

Ces séjours n'étaient cependant pas de tout repos. Les deux garçons se retrouvaient plongés en plein cœur d'un mélange de vingtième et de vingt et unième siècle. Tout d'abord, ils ne pouvaient amener aucun gadget électronique avec eux. Benjamin passait donc toujours par une période de sevrage où ses doigts cherchaient son technocom à son poignet au moins une centaine de fois par jour.

Ensuite, la maison n'était équipée que d'appareils totalement autonomes fonctionnant grâce à des panneaux solaires, à des éoliennes de rivière ou au sel. Ce qui caractérisait le plus les visites chez son grand-père était toutefois l'obsession de Zachary de faire de ses petits-fils des hommes à tout faire. Dès sa tendre enfance, Ben avait appris à cuisiner, à scier du bois, à labourer, à peinturer, à identifier les champignons, les racines et les fruits comestibles dans la forêt. Il devait reconnaître les animaux et les chants d'oiseaux ainsi que les espèces d'arbres. Puis, au fur et à mesure qu'il vieillissait et que son corps et ses muscles se développaient, les tâches s'étaient complexifiées.

Un été, son frère et lui avaient dû apprendre à trouver ce dont ils avaient besoin pour se nourrir parce que le garde-manger était vide. Durant ce séjour, ils avaient connu la faim pour la première fois de leur vie, mais ils avaient appris vite. Les excursions en forêt avaient toujours un but que leur grand-père leur révélait rarement à l'avance. Il pouvait s'agir de revenir à la maison sans aide, de se camoufler, de bûcher pendant des jours jusqu'à ce que les muscles de leurs bras et de leur dos veuillent exploser sous l'effort, ou encore de dormir à la belle étoile en affrontant les dangers de la nuit et, surtout, leurs propres peurs.

Loin de nuire aux entraînements de skiroulo de Ben, ces séjours fortifiaient ses muscles, lui permettaient de se dépasser et de créer un lien privilégié avec la Terre.

L'adolescent sourit. Il réservait une surprise à son grand-père. Depuis trois ans, chaque été, Zachary parlait une nouvelle langue et refusait d'utiliser les autres. La première année, il avait fait semblant de ne plus comprendre le français. Benjamin, qui ne pouvait pas amener son oreillette traductrice, avait été forcé d'apprendre l'anglais s'il voulait pouvoir communiquer avec la seule personne disponible à des kilomètres à la ronde. À son retour chez ses parents, il avait passé des semaines à parfaire cette langue pour impressionner son grand-père. L'été suivant, il était parfaitement bilingue, mais son grand-père avait refusé de parler le français et l'anglais pour ne s'exprimer qu'en mandarin. Ouf ! L'apprentissage avait été ardu, mais le sportif y était parvenu, pour ensuite devoir se concentrer sur l'espagnol.

Cela faisait maintenant des semaines que Benjamin apprenait l'hindi avec un professeur virtuel. Il était déterminé à ne répondre à son grand-père que dans cette langue, peu importe ce que celui-ci avait prévu. Il se faisait à l'avance une joie que les rôles fussent inversés.

- 5 -

FUITE

Entre l'école et les nombreuses heures d'entraînement de Benjamin, le reste de la semaine fila aussi vite qu'une fusée vers la Lune. À dix-huit heures le vendredi, la famille Maska était prête à partir vers la base de transit numéro onze. Il s'agissait en fait d'une gigantesque plateforme et de deux bâtiments situés entre trois complexes d'habitation. Une structure d'acier les maintenait à plus de deux cents mètres d'altitude. Construite au-dessus d'une forêt de quelques milliers d'hectares, elle permettait aux voyageurs de manger, de dormir et de faire le plein de sel ou de miran, pour les aérovéhicules qui fonctionnaient avec ce minerai martien.

Plusieurs de ces bases avaient aussi développé un concept unique afin de rentabiliser leurs installations. Ainsi, sur la base de transit numéro onze, on retrouvait une immense salle de spectacle qui pouvait être transformée en patinoire pour des événements comme celui d'aujourd'hui.

La famille Maska arriva avec soixante minutes d'avance sur l'heure d'ouverture des guichets. Le père de Ben désigna un petit restaurant aux tables rouges et aux chaises noires.

– Voulez-vous qu'on mange ici ? demanda-t-il.

Tous approuvèrent. Ils s'assirent et Benjamin se mit immédiatement à faire défiler le menu sur sa section de table. Il sélectionna son repas de son index, puis observa les choix des autres membres de sa famille.

– Chéri..., marmonna Maïka à Edmond.

Celui-ci annula d'un coup de pouce son repas réhydraté pour sélectionner un plat indien de légumineuses et de légumes frais. Les deux frères se regardèrent et croisèrent aussitôt les doigts pour que leur mère ne commente pas leurs choix probablement trop salés, trop gras et trop « pas bon du tout pour la santé, les garçons ! ». Toutefois, Maïka était occupée à lancer un regard amoureux à son époux, qui tendit la main vers elle pour enlacer leurs doigts. Trois secondes plus tard, les commandes avaient disparu vers les cuisines. Fiou !

Jacob choisit ce moment pour lui donner un discret coup de pied sous la table. Il voulait son attention et son soutien. Puis, il prit la parole.

– Je pense m'inscrire au concours pour Iskay, lança-t-il.

Benjamin vit sa mère devenir blanche comme un drap et serrer les mâchoires. Son père ne semblait guère plus ouvert. Son frère ne se laissa pas démonter par leur attitude et prit le temps de leur exposer son projet. Ses parents ne parlèrent pas beaucoup. Ils n'encouragèrent pas Jacob, mais ils ne le découragèrent pas non plus.

« Ils sont comme moi, pensa Ben. Ils ne veulent pas que notre famille soit brisée... mais, en même temps, ils veulent respecter les choix de Jacob. »

L'adolescent était très attaché à sa famille. Il trouvait ses parents un peu vieux jeu, passablement exigeants et vraiment excessifs en matière de sécurité, mais il ne les aurait échangés pour rien au monde.

– Nous en reparlerons, finit par dire sa mère alors que tous terminaient leur repas. Ce soir, c'est la fête !

Quelques minutes plus tard, la famille Maska se dirigea vers l'immense centre de spectacle où elle prit place dans une des rangées du milieu. La joute dépassa de loin tout ce que Ben avait pu imaginer. Ils étaient beaucoup plus éloignés des joueurs que lorsqu'ils étaient chez eux, mais la vue d'ensemble était géniale. L'atmosphère et les acclamations du public rendaient le jeu encore plus enlevant. L'âme de sportif de l'adolescent fut transportée par l'ambiance et il rêva que c'était lui qu'on acclamait ainsi.

Une fois la partie terminée, toute la famille reprit le couloir menant à un des débarcadères d'où les gens pouvaient appeler leur véhicule. Benjamin n'avait pas vu la soirée passer. À ses côtés, Jacob commentait la partie et donnait son opinion sur la forme physique des joueurs. Tout à coup, la lumière de son technocom clignota. Jacob vérifia le message d'un œil distrait et saisit son frère par le bras.

– On vient d'annoncer le grand prix de ta course de dimanche ! Tu ne devineras jamais ! Il s'agit d'une place assurée parmi les deux mille participants aux épreuves d'élimination du concours pour Iskay.

– Plus le prix en crédits ?

– Plus le prix en crédits ! Imagine... On pourrait partir ensemble ! Ce serait fabuleux. Tu DOIS gagner ! En plus, ce prix vient de tout changer. Avec cette annonce, la compétition sera extrêmement médiatisée. Même si tu ne gagnes pas, si tu te distingues, les plus grands entraîneurs et les meilleurs commanditaires te remarqueront sans que tu aies à lever le petit doigt.

Benjamin ne voulait pas aller sur Iskay. Il aimait la vie qu'il menait sur la Terre. Il releva la tête pour l'expliquer à Jacob quand un panneau d'affichage suspendu au centre du couloir attira son attention. L'enseigne faisait toute la longueur du corridor et les gens passaient dessous.

L'adolescent remarqua que le côté droit était beaucoup plus bas que le gauche. Une des deux grosses vis servant à retenir le câble au plafond était presque complètement dévissée. Benjamin ralentit le pas pour mieux l'observer. Il constata que la vis glissait lentement mais sûrement du plafond.

Machinalement, il calcula que sa mère et son père se trouveraient très bientôt dans la trajectoire du lourd panneau si celui-ci se détachait du plafond. Le regard toujours rivé sur la vis, il fit un pas de plus. Soudain, comme dans un cauchemar, il la vit tomber, immédiatement suivie de la deuxième. Son cœur se figea d'horreur en même temps que tout le paysage autour de lui. En une fraction de seconde, le sportif bondit en avant, attrapa ses deux parents par la manche de leur veste et les tira de toutes ses forces vers l'arrière.

Les bruits du panneau qui s'écrasait contre le mur et les cris des gens autour de lui parvinrent à ses oreilles au moment où il tombait à la renverse, entraînant ses parents dans sa chute. Heureusement, le panneau les frôla sans les toucher.

Jacob, blanc comme un drap, les aida à se relever.

– Est-ce que tout va bien ? demanda-t-il d'une voix tremblante.

– Oui, répondit Benjamin. Je ne sais pas comment, mais j'ai réussi à les tirer au sol juste à temps.

– Pourtant, tu étais derrière moi ! objecta Jacob, qui réalisait subitement qu'il n'avait pas vu son frère passer.

– Que dis-tu ? le questionna Edmond, visiblement inquiet, pendant que l'activité qui régnait autour d'eux s'intensifiait.

– Je dis, cria Jacob pour couvrir le bruit de la foule, que Ben était derrière moi et que, la seconde suivante, il était étendu au sol avec vous.

Benjamin vit ses parents se regarder, en panique.

– Nous n'avons pas une seconde à perdre, lança sa mère. Ils seront ici sous peu.

Edmond approuva d'un signe de tête.

– Chérie, dit-il, lance le virus pour détruire les enregistrements des caméras de surveillance de la base et viens nous rejoindre.

Maïka se dirigea sans hésiter vers une porte réservée au personnel. Au grand étonnement de ses fils, elle pianota un code sur le petit clavier de la porte et celle-ci s'ouvrit.

– Mais... que fait maman ? demanda Ben.

– Suivez-moi, les garçons, ordonna Edmond sans répondre à la question de son cadet.

D'un pas vif, il se dirigea vers le débarcadère le plus proche. Benjamin interrogea Jacob du regard. Celui-ci souleva les épaules en signe d'impuissance et emboîta le pas à leur père. Ben ne comprenait pas le comportement de ses parents. La loi leur prescrivait d'attendre les secours, étant donné qu'ils étaient probablement les seuls à avoir vu ce qui s'était réellement passé.

En marchant, son père appela leur véhicule à l'aide de son technocom. Au moment où ils débouchèrent sur le plateau de vol éclairé par de gros projecteurs, la voiture était déjà là.

– Montez, les garçons, leur ordonna-t-il.

– Mais... enfin... Que... Que se passe-t-il ? l'interrogea à nouveau Ben.

La main sur le toit de la voiture, Jacob s'immobilisa et observa son père. Visiblement, la réponse l'intéressait aussi.

– Montez, je vous expliquerai.

Les deux frères prirent place à l'arrière. Pourquoi Ben avait-il l'impression que sa famille fuyait quelque chose ? L'adolescent se sentait déstabilisé et la peur cherchait à se faire un nid en lui. Il ne comprenait pas ce qui se passait. Perdu dans ses pensées, il poussa un cri de frayeur lorsque sa mère apparut à sa fenêtre sans qu'il l'ait vue arriver. Elle s'assit aux côtés d'Edmond pendant que Jacob rigolait dans son coin de la réaction de son frère.

– Mission accomplie, dit-elle.

– Cache A, prononça distinctement Edmond à l'adresse de l'ordinateur du véhicule.

Aussitôt, la voiture s'éleva dans la nuit sur la plus haute autoroute et atteignit la vitesse de sept cents kilomètres-heure.

– Quelle mission ? Quelle cache ? insista Benjamin.

– Que se passe-t-il ? renchérit Jacob.

– Nous allons chez votre grand-père, répondit Maïka. Nous répondrons à toutes vos questions, mais seulement lorsque nous serons arrivés. À partir de maintenant, vous ne vous servez plus de vos ordinateurs souples ni de vos technocoms. D'ailleurs, donnez-les-moi.

– Pourquoi ? Vous ne nous faites pas confiance ? objecta Ben pendant que sa mère faisait pivoter son siège pour faire face à ses fils.

– Je pourrais te retourner la question, fils ! Si nous te demandons d'attendre, c'est que nous avons de bonnes raisons. Et, si je te demande tes appareils électroniques, c'est pareil. Alors, fais-nous confiance, d'accord ?

Devant l'expression sévère de sa mère, l'adolescent décida qu'il valait mieux obtempérer pour l'instant. Le comportement de ses parents était très étrange. Benjamin saisissait que leur départ précipité était en lien avec le panneau écroulé, mais il avait beau repasser sans cesse la scène dans sa tête, il ne voyait pas ce qui avait provoqué leur fuite.

Ils volèrent pendant plus d'une heure. Les complexes d'habitation se succédaient. Ils étaient séparés par des kilomètres et des kilomètres de champs et de forêts.

Puis, la voiture ralentit et descendit. Elle zigzagua à travers les tours d'habitation d'un complexe inconnu de Benjamin.

– Où sommes-nous ? s'enquit Jacob.

– À Pittsburgh, répondit Edmond comme si tout était normal.

Les deux frères échangèrent un regard surpris. Pendant ce temps, leur père désactiva la conduite automatique et poursuivit sa route sans se servir de son système de repérage. Visiblement, il connaissait bien le chemin. Ils arrivèrent au niveau du sol, devant le terrain servant à ranger les voitures familiales des gens de ce complexe.

Edmond entra un code sur le tableau de bord et la portion du sol sur laquelle la voiture était posée s'enfonça dans la terre. Ils descendirent ainsi pendant plusieurs mètres, se retrouvant dans un immense garage souterrain. Puis, la voiture fut soulevée par un bras mécanique et déposée au-dessus de rails magnétiques qui la firent se déplacer sur la gauche sur près d'un kilomètre. Benjamin ouvrait grand les yeux. Jamais il n'avait eu l'occasion de visiter un garage d'immeuble. Les rangées de véhicules de toutes les couleurs, bien garés les uns à côté des autres, se multipliaient.

– Vous pouvez sortir, leur annonça Edmond lorsque tout s'immobilisa.

Les portes s'ouvrirent et Ben sortit en regardant nerveusement autour de lui. Tout était sombre et tellement silencieux... Un bruit ténu attira soudain son attention sur sa droite. Il s'agissait d'un homme sur son aéroplaneur qui volait vers eux. D'une cinquantaine d'années, il était vêtu simplement. Il observa les passagers : Edmond et Maïka d'abord, puis Jacob. Finalement, ses yeux s'arrêtèrent sur Benjamin. L'homme le dévisagea longuement de la tête aux pieds. Les secondes passèrent. L'adolescent ne savait plus comment se tenir. Il se sentait très mal à l'aise d'être examiné ainsi. Alors qu'il s'apprêtait à appeler son père à son secours, le regard résigné du garagiste revint sur Edmond.

– Quand ? demanda-t-il.

– Il y a une heure, répondit Edmond.

– Où ?

– À la base de transit numéro onze.

– Ne traînez pas, ordonna l'homme en désignant à Edmond la troisième voiture à leur gauche. Tout est dans le compartiment inférieur.

Toute cette histoire devenait inquiétante. Benjamin avait l'impression de se retrouver au cœur d'un film d'espionnage comme il en avait déjà expérimenté dans une capsule cinéma dont-vous-êtes-le-héros.

L'homme s'approcha du véhicule noir avec eux. Il sortit de sa poche ce qui ressemblait à un doigt artificiel qu'il passa sur les boutons de déverrouillage des portes. Dès que le compartiment inférieur s'ouvrit, Ben vit qu'il contenait un grand sac. Edmond prit le sac. Il en sortit des vêtements de rechange.

– Déshabillez-vous, dit-il. Vous devez vous changer.

– Quoi ? s'insurgea Jacob. Ici ?

– Jacob ! Fais ce que ton père demande, ordonna Maïka.

Tout en se changeant, Benjamin regardait partout autour de lui pour enregistrer dans sa mémoire le plus de détails possible.

L'homme qui les accompagnait tendit la main vers Edmond, qui y déposa son technocom, sa montre à écran souple ainsi que son ordinateur portatif, qu'il portait toujours dans une pochette de sa chemise.

– Aucun appareil électronique n'entre dans cette voiture, dit l'homme aux frères Maska en tendant sa deuxième main vers eux.

Comme Maïka avait déjà ramassé tout ce qui leur appartenait, c'est elle qui remit les gadgets à l'homme.

– Vous pouvez garder votre oreillette traductrice, précisa-t-elle à ses fils.

Lorsque l'homme glissa tous leurs appareils dans un sac suspendu à son aéroplaneur, le cœur de Ben se serra. À part lorsqu'il séjournait chez son grand-père, il ne se séparait jamais de l'ordinateur qu'il portait à son poignet. Dans la dernière heure, il avait déjà eu toutes les difficultés du monde à ne pas demander à communiquer avec Tristan pour lui raconter ce qui lui arrivait.

« En plus, pensa-t-il, j'ai plein d'informations personnelles dedans ! »

L'adolescent détacha douloureusement son regard du sac. Il enfila son chandail qui était parfaitement ajusté à sa taille, tout comme son nouveau pantalon.

Étrange !

- 6 -

ZACHARY

Dès que tous furent changés, ils reprirent leur vol à bord de la nouvelle voiture. « Cache B », avait dit son père. Qu'est-ce que cela pouvait bien vouloir dire ? Benjamin sentait la fébrilité le gagner. Elle augmenta encore d'un cran lorsqu'il vit Maïka mettre en route un programme de radar intégré au tableau de bord.

– Papa, tous ces mystères sont vraiment bizarres, dit Jacob. Allons-nous vraiment chez grand-père ?

– Oui, mais nous prenons un chemin différent pour nous y rendre afin de nous assurer de ne pas être suivis.

– Suivis par qui ? Pourquoi ? insista Jacob.

– C'est une longue histoire, fils. Je te promets que nous vous la raconterons chez Zachary. Soyez patients.

Une autre heure passa. Ben aurait dû se sentir fatigué, mais le climat d'urgence et de tension qui régnait dans la voiture l'intriguait trop. On aurait dit que ses parents venaient de se transformer. L'adolescent avait de la difficulté à définir sa pensée. C'était comme si ses parents étaient devenus des êtres totalement différents de l'image qu'il se faisait d'eux.

Soudain, Edmond fit ralentir la voiture et Benjamin constata qu'ils piquaient doucement du nez pour redescendre au niveau du sol. Ils étaient en plein cœur d'un immense champ dont on ne voyait ni le début ni la fin.

Son père dirigea le véhicule vers une vieille grange en plastique isolant. Là, il ouvrit un petit compartiment caché dans le toit de leur voiture et composa une série de six chiffres sur le clavier numérique qui en sortit. Les portes de la grange s'écartèrent. Un troisième véhicule les attendait.

– Que venons-nous faire ici ? demanda Ben en s'asseyant sur le bout de son siège pour tenter de déchiffrer les ombres de la nuit.

– On doit à nouveau se changer, leur annonça Maïka.

Edmond descendit de la voiture et ouvrit le coffre du troisième véhicule pour en sortir un autre sac.

– Mettez vos vêtements sur le siège de la voiture dans laquelle nous sommes arrivés et, cette fois, laissez votre oreillette traductrice. Nous ne devrions plus rencontrer personne.

Aucun des deux frères ne posa de question. Benjamin obéit et se changea. Encore une fois, les vêtements étaient parfaitement adaptés à sa taille. Il en était de même pour tous. C'était de plus en plus bizarre. L'adolescent trouvait ça inquiétant, bien qu'un peu excitant.

Toute la famille monta dans le nouveau véhicule, qu'Edmond dirigea environ un demi-kilomètre plus loin.

– Benjamin, dis le mot « feu » en anglais, ordonna-t-il.

– Pourquoi ?

– BEN ! lâcha son père d'un ton exaspéré.

Visiblement, ses parents s'attendaient à ce qu'il obéisse sans dire un mot. C'était contraire à ce qu'ils lui avaient toujours enseigné et Ben commençait à en avoir assez.

– *Fire*, rétorqua-t-il tout de même.

Aussitôt, de grandes flammes bleues, rouges et violettes se mirent à lécher les murs de l'édifice pour finalement l'embraser totalement. L'adolescent vit les murs fondre et la carcasse de la voiture se consumer.

– C'est bon à savoir ! s'exclama Jacob.

Les sourcils soulevés par la surprise, Benjamin regardait les flammes en se demandant comment il pouvait en être l'auteur.

– On avait enregistré ta voix pour qu'elle serve de mot de passe et déclenche la réaction chimique, lui expliqua Edmond.

Cet éclaircissement déçut un peu l'adolescent, qui s'imaginait déjà détenir le don fabuleux de créer des feux juste en l'ordonnant.

Au bout de quinze minutes, tout fut brûlé et Edmond démarra le moteur. La montre du tableau de bord de la voiture affichait maintenant une heure dix du matin.

– Nous comprendrons tout chez grand-père ? valida à nouveau Jacob.

– Oui, approuva Maïka.

– OK..., parce que vous êtes vraiment, mais vraiment bizarres tous les deux, ajouta-t-il.

Ce détail réglé pour Jacob, il ferma les yeux et s'endormit en quelques minutes. Ben l'observa un moment. Il l'enviait. Son frère pouvait faire trois choses en même temps. Il avait une énergie incroyable. Mais, quand il jugeait qu'il devait se reposer, *pouf !* il arrêtait tout et s'endormait.

Benjamin était d'un autre moule. Il était incapable de se détendre alors qu'il voyait sa mère les yeux rivés sur le radar comme si une catastrophe était imminente. Il choisit donc de laisser libre cours à son imagination. Il inventa mille et une raisons pouvant expliquer leur fuite. Tout y passa ! Ses parents avaient fraudé le système informatique gérant les crédits des gens de leur immeuble. Ils étaient des agents secrets à la solde du gouvernement. Son frère et lui étaient des enfants ayant des pouvoirs psychiques extraordinaires... Il aima bien cette idée et en inventa plusieurs versions.

Trois heures plus tard, ils arrivèrent à l'orée de la forêt du côté est des terres de son grand-père. Tout le territoire était classé A2. Cela signifiait qu'aucun véhicule aérien ne pouvait survoler la forêt, sous peine d'être automatiquement redirigé vers le poste de sécurité le plus proche. Les autorités accordaient une grande importance à la sauvegarde de la flore et à la protection des animaux. Aussi aucune route aérienne ne menait-elle à la maison du grand-père de Benjamin.

Edmond passa à la conduite manuelle. Il contourna quelques cimes d'arbres de façon très précise et sans dévier d'une trajectoire établie par Zachary. De cette façon, il parvint à éviter toute surveillance électrosonar. Il posa ensuite son véhicule sur une plateforme de bois à plus de trente mètres du sol, entre les branches de deux gros érables collés l'un contre l'autre.

– Jacob, réveille-toi, dit Ben en poussant l'épaule de son frère. On est arrivés !

Comme d'habitude, les deux adolescents sortirent dehors et déployèrent par-dessus le véhicule une toile qui le cacherait à la vue des humains et des satellites grâce à des micropuces qui projetteraient l'image de la forêt autour et dissimuleraient toute trace de métal. Benjamin termina son côté trois secondes avant son frère.

En temps normal, même s'il était quatre heures du matin et qu'il n'avait pas dormi de la nuit, il s'élancerait sur la première grosse branche sous lui. Les deux frères Maska étaient de force égale pour grimper et descendre des arbres. Depuis toujours, ils se livraient une compétition amicale où chaque seconde comptait. Grimper aux arbres et en descendre était une des premières choses que leur père et leur grand-père leur avaient apprises en forêt.

Aujourd'hui toutefois, le sportif sentait que leur traditionnelle course n'avait pas sa place. Jacob devait être du même avis, parce qu'il se plaça derrière Maïka pour la suivre de branche en branche. Arrivé au sol, Ben s'enfonça dans le bois jusqu'à un petit monticule où une seconde toile cachait trois véhicules motorisés insonores carburant au sel.

L'adolescent choisit une moto et l'enfourcha. Il adorait conduire dans les sous-bois. Son père l'autorisa à partir d'un mouvement de menton. Aussitôt, Benjamin s'enfonça dans un des minces sentiers qui s'ouvraient devant lui. Il connaissait le chemin. Il contourna les arbres, évita les trous et dérapa parfois sur des aiguilles de pin ou un lit de mousse verte. La forêt lui apporta un certain apaisement qui détendit ses muscles. Il arriva devant la maison de son grand-père une quinzaine de minutes plus tard.

La maison de pierres n'avait qu'un étage. Sur le toit recouvert de verdure poussaient quelques sapins nains. De grandes fenêtres sans rideaux couvraient trois des quatre murs et permettaient à la lumière du jour de pénétrer dans la maison. La porte d'entrée semblait en bois, mais Ben savait que ce n'était qu'une apparence et qu'en réalité, elle était faite d'un alliage de métaux aussi léger que résistant.

Le sportif plaça ses mains devant sa bouche et imita à la perfection le roucoulement d'une tourterelle.

Il répéta le chant plusieurs fois, attendant que son grand-père sorte de son sommeil et désactive les nombreux pièges entourant sa propriété. Jacob arriva pendant ce temps, suivi d'Edmond et de Maïka, qui partageaient le même véhicule tout-terrain.

La porte de la maison s'ouvrit enfin et son grand-père apparut sur le seuil. C'était un homme de soixante-cinq ans au corps musclé et à la peau basanée par le soleil. Benjamin l'adorait.

– Quand ? demanda Zachary en regardant son fils.

– À vingt-deux heures trente hier soir, lui répondit Edmond.

– Où ?

– À la base de transit numéro onze.

Benjamin avait l'impression de vivre une deuxième fois la même scène. C'était une sensation vraiment bizarre.

– Penses-tu qu'ils l'ont repéré ?

– Non. Nous étions entourés de plusieurs centaines de personnes, dont plusieurs jeunes de son âge. Il leur faudra sûrement un bout de temps.

Ben observait les deux hommes en alternance. À l'évidence, ils parlaient de lui ou de Jacob. Quelle information importante avait-il manquée ?

– Bonjour, grand-père, lança-t-il en hindi afin d'attirer un peu l'attention de tout ce beau monde. Jacob et moi commençons à avoir vraiment hâte qu'on nous explique ce qui se passe.

La fierté qui rayonna aussitôt dans les yeux de son grand-père valait toutes les semaines de travail que l'adolescent avait mises à apprendre cette langue.

– Je jamais porté... oreille traducteur... mon garçon, répondit son grand-père dans un hindi très hésitant. Pas... soixante-cinq... ans, je... commencer.

Benjamin éclata de rire. Il aurait dû se douter que Zachary connaissait les rudiments de cette langue. Il faudrait qu'il trouve autre chose ! Au même moment, un magnifique bouvier bernois lui sauta littéralement dans les bras. L'adolescent fut durement jeté à la renverse par le poids du chien de son grand-père et il se mit à lutter avec lui. Il n'y avait qu'avec Ben qu'Amigo était autorisé à avoir ce comportement batailleur. Il ne s'en privait jamais ! Il faut bien avouer que le garçon y prenait autant plaisir que lui.

Lorsque son visage, son cou et une partie de son torse furent couverts de bave, Ben abdiqua.

– C'est bon... C'est bon... Tu as gagné !

Benjamin se releva et aperçut une adolescente qui l'observait avec curiosité dans l'entrebâillement de la porte de la maison. Un peu plus petite que lui, elle devait avoir son âge. Elle portait des vêtements de coton et était pieds nus. Ses cheveux étaient retenus lâchement dans son dos et elle tenait la laisse d'Amigo entre ses mains. Visiblement, elle se sentait comme chez elle !

Zachary suivit le regard de son petit-fils.

– Venez que je vous présente Ariane.

- 7 -

TROU DE VER

Assis devant une tasse de chocolat chaud à laquelle il n'avait pas encore touché, Benjamin avait de la difficulté à regarder son grand-père tant il se sentait trahi. Ses idées et ses émotions se mélangeaient. La colère prenait tranquillement le dessus sur le reste. Il venait d'apprendre qu'Ariane vivait ici depuis de nombreuses années. Zachary le lui avait toujours caché. Il l'élevait comme sa fille. Le jeune sportif ne parvenait pas à digérer cette nouvelle. Comment se faisait-il qu'il ne l'eût jamais rencontrée ? Qu'il n'en eût jamais entendu parler ? Pourquoi son grand-père lui avait-il caché son existence ? Cela avait dû être un véritable tour de force que de cacher tout ce qui appartenait à la jeune fille à chacune de ses visites.

– Grand-père, pourquoi ne nous as-tu jamais parlé d'elle ? demanda Jacob.

– C'était pour la protéger..., répondit-il, ainsi que ton frère.

– Protéger Ben ? Mais de quoi ?

– C'est une longue histoire, commença Zachary. Il est temps que nous vous la racontions.

Il se leva et se dirigea vers la bibliothèque interdite. Il y prit un gros album bleu qu'il déposa sur la table. Il tourna la première page et leur montra une vieille photographie jaunie, en papier. Il s'agissait du portrait d'un homme d'une quarantaine d'années. Il portait un antique nœud papillon autour du cou et un veston noir.

– Qui est-ce ? voulut savoir Ben.

– Cet homme est un grand scientifique nommé Nathan, commença son grand-père pendant qu'Amigo couchait la moitié de son gros corps sur les pieds de l'adolescent, comme s'il voulait lui dire : « Maintenant, tu restes assis et tu écoutes ! »

Zachary tourna une nouvelle page de l'album et Benjamin vit Nathan au milieu d'un groupe d'individus placés en demi-cercle. Sur d'autres images, il le vit penché sur plusieurs liasses de feuilles de papier, un crayon de bois sur l'oreille, ou encore devant un archaïque ordinateur Core™ i7. Sur une dernière photographie, Nathan regardait l'objectif avec naturel, comme si ce n'était pas une caméra qu'il s'attendait à voir, mais une personne. Il avait un sourire fatigué. Cette image trouva un écho en Benjamin, comme s'il l'avait déjà vue en rêve. Il secoua la tête pour chasser cette impression pendant que son grand-père poursuivait ses explications.

– Au début du vingt et unième siècle, Nathan a concentré ses recherches sur l'origine de la masse des particules et des constituants de la matière noire, qui représentent la majeure partie de la masse de l'Univers. En 2025, il était sur le point de créer le plus puissant accélérateur de particules au monde.

– Un instant ! l'arrêta Ben, exaspéré par le langage scientifique de son grand-père. Je parle cinq langues... Peux-tu en utiliser une que je comprends, s'il te plaît ?

Jacob s'empressa d'approuver de la tête pendant que Zachary riait franchement.

– Désolé... En fait, reprit-il plus simplement, Nathan voulait créer un trou noir en faisant entrer en collision des particules à très haute énergie. À cette époque, une course contre la montre avait lieu un peu partout sur la Terre pour déterminer qui serait le premier à y parvenir.

Benjamin leva un sourcil, intéressé. Il avait appris que tout ce qui était aspiré dans un trou noir n'en ressortait jamais ; c'était en quelque sorte un voyage sans retour.

– C'était pas un peu dangereux, ça ? le questionna Jacob.

– C'est ce qu'ont pensé bien des gens, poursuivit Zachary. La peur de voir la Terre se faire engloutir par un petit trou noir fit son chemin au sein de la population, qui exigea que le gouvernement ferme les centres de recherche. Ce qu'il fit... officiellement.

– Et officieusement ? l'interrogea Jacob, qui avait saisi la nuance du mot employé.

– Officieusement... les investisseurs ne prirent pas au sérieux les craintes de la population. Le financement ne manqua donc jamais. Nathan et les membres de son équipe déménagèrent tout simplement leur laboratoire dans le sous-sol de sa grande maison. Là, ils travaillèrent d'arrache-pied pour créer un minuscule trou noir. Ils y parvinrent à plusieurs reprises et, dans le secret le plus total, décidèrent de pousser plus loin leurs recherches.

– Comment peut-on pousser plus loin la formation d'un trou noir ?

– C'est aussi ce que je me suis demandé lorsque grand-père m'a raconté cette histoire, intervint Ariane. En fait, le nouveau but que Nathan s'était fixé était de démontrer l'existence des « trous de ver ». Dans son esprit, il existait une autre sorte de trou noir, dont l'extrémité n'était pas bouchée mais connectée à une autre région de l'Univers ou à un autre espace-temps à l'aide d'un tunnel qu'on pouvait traverser dans un sens ou dans l'autre.

Benjamin fut agacé par le commentaire de cette Ariane. De plus, il connaissait déjà l'existence des trous de ver. C'est en utilisant un de ces passages que les humains avaient entrepris le voyage pour Iskay, pourtant située à des années-lumière de la Terre.

– Après des mois de calculs et d'essai-erreur, poursuivit Edmond, Nathan sut qu'il était sur le point d'arriver à prouver sa théorie. Cependant, il avait commencé à avoir de très sérieux doutes sur l'honnêteté et l'intégrité de certains membres de son équipe. Il soupçonnait quelques-uns d'entre eux de vouloir voler ses recherches afin de s'enrichir.

– C'est sûr qu'une découverte comme ça devait valoir beaucoup de crédits, comprit Jacob.

– Oh oui ! approuva Zachary. Toutefois, Nathan commença à se sentir surveillé. Il décida d'utiliser des détecteurs de micros et de caméras et découvrit que ses craintes étaient fondées. Le matériel de haute technologie qu'il découvrit l'informa que ceux qui l'espionnaient avaient d'immenses moyens financiers. À partir de ce moment, notre grand scientifique eut de plus en plus peur pour la sécurité de sa famille.

– Il faut savoir qu'en 2025, continua Maïka, il avait trois enfants qu'il adorait : une fille de sept ans, un fils de cinq ans et un autre de trois ans. Ce dernier, espiègle, essayait régulièrement de se faufiler dans le laboratoire pour grimper sur les genoux de son père et avoir toute son attention.

Sur un signe de Zachary, Benjamin tourna une nouvelle page de l'album et vit trois enfants le fixer avec de grands sourires insouciants. En apercevant le plus jeune des enfants de Nathan, il se demanda si ce n'était pas son ancêtre tant la ressemblance avec lui-même était frappante.

Jacob s'avança sur le bout de sa chaise, vivement intéressé par la suite de l'histoire.

– Nathan attendit d'être seul, un soir, raconta Edmond en baissant le ton de sa voix, et décida de tenter le tout pour le tout; l'expérience ultime. Sans témoin. Toutefois, au même moment, son fils de trois ans échappa à la surveillance de son épouse. Ainsi, sans que son père l'aperçoive, le petit se glissa derrière la porte de la grande salle. Lorsque Nathan actionna l'accélérateur de particules, il recueillit le fruit de tous ces mois de travail.

– Mais... il aperçut son fils trop tard, renchérit Zachary sur un ton dramatique. Le bambin fut aspiré par un trou noir plus grand que tout ce que Nathan avait pu imaginer.

– C'est affreux ! s'exclama Ben. Qu'a-t-il fait ?

– Au début, rien, répondit Zachary, parce que, quelques secondes après la disparition de son petit Thomas, le chat de la famille surgit de nulle part à l'endroit exact où le trou noir avait été créé. Nathan comprit alors que son fils n'avait pas traversé un trou noir, mais plutôt un trou de ver. Le chat devait avoir voyagé avec Thomas et il était revenu. Il était donc possible de traverser l'espace-temps dans un sens et dans l'autre. Le retour du chat prouvait l'existence des trous de ver.

– Par des calculs scientifiques très poussés, poursuivit Edmond, Nathan fut persuadé que son fils n'avait pas effectué un voyage dans l'espace, mais simplement dans le temps. Mais à quelle époque ?

Benjamin avait l'impression que son grand-père lui posait directement la question et attendait une réponse. Comment aurait-il pu la connaître ? L'histoire en soi était abracadabrante.

– Incroyable, lança alors Jacob. C'est donc grâce à lui que les voyages dans le temps et dans l'espace sont possibles ?

– En fait, non, le détrompa Zachary. Nous estimons que ces voyages ont toujours existé. Des trous de ver se forment spontanément dans la nature depuis la nuit des temps sans qu'on sache comment ni pourquoi. Si, par malheur, des gens sont sur place, ils sont transportés dans une autre époque sans qu'on en entende parler. Pour une raison ou une autre, ils reviennent rarement sur leurs pas.

– Tu veux dire que ça pourrait arriver à n'importe qui ? le questionna Ben. Juste comme ça ? En marchant dans la forêt ?

– Précisément !

– Mais cet homme a donc appris comment les former, réfléchit Jacob. Les conséquences auraient pu être désastreuses ! Imaginez si quelqu'un était allé changer le passé...

Ariane souleva un sourcil et hocha la tête. Benjamin, qui l'observait, eut l'impression qu'elle disait à son frère : « Exactement ! Bravo pour ton analyse ! » Cette attitude l'agaça. Zachary reprit ses explications.

– C'était justement ça, le problème, et probablement la raison pour laquelle ses travaux étaient à ce point surveillés. Nathan ne pouvait pas courir le risque que certaines personnes utilisent sa découverte à des fins malveillantes. Il retira donc une toute petite partie des données contenues dans ses ordinateurs. Rien qui puisse être détecté, mais des éléments cruciaux pour quiconque chercherait à reproduire ses résultats et à créer des trous de ver à volonté. Finalement, il détruisit l'accélérateur de particules et travailla à planifier un retour sécuritaire pour son fils, Thomas. Pour réussir, la première chose qu'il devait faire était de convaincre tout le monde qu'il ne savait pas créer des trous de ver et qu'il abandonnait ses recherches. Il inventa une histoire plausible.

– Laquelle ? voulut savoir Ben.

– Nathan fit croire à la noyade de son fils cadet, raconta Maïka. Puis, il simula une profonde dépression. Il convainquit tout le monde que ses recherches sur le bord des rives pour retrouver son petit Thomas avaient eu raison de sa santé, qu'il n'avait plus d'énergie, plus le goût de rien. Aussi divulgua-t-il toutes ses notes sur Internet. À l'époque, elles furent téléchargées pendant des jours et des jours. Il avait été assez futé pour laisser, au milieu de celles-ci, suffisamment de matière neuve et de formules révolutionnaires pour alimenter les conversations pendant des années. Lui-même se retira de la vie publique. Il coupa les ponts avec ses anciens partenaires et refusa toute entrevue.

– Puis, dans le secret le plus total, continua Zachary, il poursuivit avec son épouse ses recherches scientifiques pour ramener à lui son fils adoré. Comme je vous l'ai dit, très vite il fut convaincu que Thomas finirait par réapparaître au même endroit, à la même heure. Alors il attendit toute sa vie.

Benjamin trouvait cette histoire très triste. Dire qu'un si grand scientifique avait passé toute sa vie à attendre son petit garçon...

– Avant de rendre l'âme, raconta son grand-père, il confia cette tâche à son fils aîné, qui prit la relève de son père et attendit, lui aussi, son petit frère pendant de longues années. Avant de mourir, n'ayant pas d'enfant, il remit cette tâche à quelqu'un de confiance. Ainsi, dans la même maison, à vingt et une heures chaque soir, une personne s'assoyait sur une chaise et se préparait à accueillir un petit garçon perdu.

– Es-tu en train de demander à l'un de nous de prendre la relève ? s'informa Ben, incrédule.

– Ce ne sera pas nécessaire, répondit Zachary en le regardant droit dans les yeux. Ce petit, on me l'a remis entre les bras il y a onze ans. Ton père, Nathan, était certainement un des plus grands scientifiques que la Terre ait jamais portés.

Un lourd silence régnait autour de la table tandis que Benjamin essayait d'assimiler ce qu'il venait d'apprendre, de faire des liens entre les paroles prononcées.

– Je suis Thomas ? commença-t-il par valider.

– Oui, répondit Zachary.

– Et Nathan était mon père ?

– Exactement.

– Et toi ? Qui es-tu ?

– Je suis un des descendants de ta sœur. Mon rôle, comme celui de mon père avant moi, était de t'accueillir, de te cacher et de te donner une identité lorsque tu traverserais.

Ben garda le silence pendant qu'Amigo libérait ses pieds et venait poser sa tête sur ses genoux. D'une main distraite, l'adolescent le caressa. Ce geste si souvent posé le rassura. Toutefois, des sentiments d'injustice et de trahison commencèrent à prendre possession de son esprit. À ses côtés, son frère secouait la tête, incrédule.

– Le destin a sa propre façon de faire les choses, leur rappela Zachary, dont c'était la philosophie de vie. Les hasards sont en réalité très peu nombreux.

« Les hasards, pfff ! » pensa Benjamin pendant que ses yeux glissaient sur Ariane. Aucune explication n'avait encore éclairci la raison de sa présence au milieu d'eux.

– Et elle ? demanda-t-il sans aucune diplomatie. J'imagine qu'elle vient du passé aussi.

– Oui, affirma Ariane, offusquée. ELLE vient du passé aussi.

– Ariane... s'il te plaît..., murmura Zachary en déposant une main apaisante sur le bras de la jeune fille. Benjamin est en état de choc.

– Et puis ? Ça ne devrait pas l'empêcher d'être poli, TON Benjamin.

« TON Benjamin ? rugit intérieurement l'adolescent en question. Pour qui se prend-elle, celle-là ? »

– En fait, expliqua Zachary en regardant son petit-fils adoptif, Ariane a, elle aussi, traversé un trou de ver. Elle est arrivée ici en même temps que toi... et au même endroit.

– Malgré toutes les recherches, dit Ariane d'un ton plus calme, personne n'est parvenu à découvrir qui j'étais et d'où je venais. Par contre, tout le monde semble penser que je vivais à la même époque que toi. J'ai sans doute pris un trou de ver qui s'est créé de façon spontanée et qui, pour une raison que nous ignorons, a abouti au même endroit que le tien. Ton arrivée a masqué la mienne, de sorte que personne ne sait que j'existe.

– Pourquoi nous racontez-vous ça aujourd'hui ? s'enquit Jacob en regardant tour à tour les trois adultes et Ariane.

Ce fut Maïka qui prit la parole.

– Parce qu'hier soir ton frère a arrêté le temps sans le vouloir. Il a eu si peur pour ton père et moi qu'il a arrêté le temps autour de lui dans un rayon de plusieurs mètres jusqu'à ce qu'il nous ait tirés de là. Cela n'a probablement duré que quelques secondes, mais l'onde d'énergie qu'il a générée de même que la distorsion dans l'espace-temps ont été perçues sur une très grande distance.

– J'ai quoi ? s'étrangla Ben. Arrêté le temps ! C'est impossible !

– Je t'accorde que c'est difficile à croire, mon lapin, lui dit sa mère.

– C'est pour cela que nous avons fui..., déduisit Jacob.

– Oui, approuva Edmond. Si nous étions restés sur place quelques minutes de plus, il y a fort à parier que nous serions déjà entre les griffes de Zelfor. Vois-tu, entre la...

– Un instant, le coupa Jacob, tu dis que nous serions entre les griffes de Zelfor ? La compagnie qui s'occupe des voyages vers Iskay ?

– Effectivement. Comme nous vous l'avons dit, les recherches de Nathan ont soulevé l'intérêt de plusieurs personnes. Entre 2025, l'année où Benjamin et Ariane sont disparus, et le moment où ils sont réapparus en 2151, huit autres Verriens ont effectué la traversée de façon volontaire ou forcée.

– Des Verriens ? répéta Ben.

– Des personnes qui ont traversé un trou de ver, expliqua Ariane.

– C'est grâce à eux, révéla Zachary, que nous avons découvert que certains Verriens rapportent de leur traversée un don spécial volé au temps.

– Lorsque tu es arrivé, à l'âge de trois ans, poursuivit Maïka, nous avions déjà cette information, mais ne savions pas si tu transportais quelque chose avec toi. Nous avons donc procédé à différents tests ainsi qu'à des analyses sanguines dans un laboratoire secret que la fille de Nathan a fait construire de son vivant. Toutefois, nous avons dû arrêter après une semaine, parce que tu avais faim.

– Quoi ! Vous ne me nourrissiez pas ?

Edmond éclata de rire.

– Tu étais un enfant très enjoué, se rappela-t-il, mais il est venu un temps où tu as dû t'ennuyer de tes parents. Ta patience a fondu comme neige au soleil et tu t'es mis à te fâcher très rapidement. Un jour où on attendait que tu réussisses un défi particulièrement difficile avant de te donner ta collation, tu as arrêté le temps. Tu étais devant moi et, la seconde suivante, tu étais assis par terre, trois mètres plus loin, un bol de raisins sur les genoux et la bouche pleine. Nous avons quitté le laboratoire en quelques minutes, mais les résultats de certains tests, dont les sanguins, n'ont pas été détruits par la personne qui devait s'en charger.

– Et j'imagine qu'ils sont tombés entre de mauvaises mains, déduisit Jacob sur un ton dramatique.

– Exactement, approuva Maïka. Ils révélaient le passage de ton frère dans le temps aussi sûrement qu'une empreinte digitale dévoile l'identité d'une personne. Étant né en 2022, Ben a des caractéristiques sanguines légèrement différentes de ceux des jeunes de son âge et il lui manque des anticorps que les humains ont développés au cours des dernières décennies.

– Après notre fuite, poursuivit Edmond en déposant une main sur le bras de Benjamin, je t'ai élevé comme mon fils en croisant les doigts chaque jour pour que tu ne reproduises pas ce comportement. Avec le temps, Maïka et moi avons réussi à te laisser de plus en plus de liberté tout en sachant que, du jour au lendemain, nos vies pouvaient basculer.

– Il est important que tu saisisses bien l'ampleur que prendra la chasse que tu viens de déclencher sans le vouloir, dit Zachary. Ariane et toi êtes pratiquement les seuls Verriens à avoir échappé à Zelfor et à être encore en vie. Les moyens financiers des gens qui te recherchent sont énormes. Ils ne reculeront devant rien pour te trouver.

- 8 -

ZHARA

Benjamin regarda tour à tour ses parents et son grand-père pendant que le silence s'installait entre eux.

« Ils me font marcher ! se dit-il. Ce n'est pas possible ! Je ne peux pas être né en 2022... mais vivre en 2162... être capable d'arrêter le temps et, en plus, être recherché pour servir de cobaye humain à une firme qui veut récupérer mes soi-disant pouvoirs ! »

Pourtant, quelque chose lui disait que tout cela était vrai. Peut-être était-ce le regard inquiet de sa mère. Ou la posture affligée de son père. Ou encore le fait qu'il se trouvait chez Zachary, en plein cœur d'une forêt qui l'entourait sur des kilomètres et des kilomètres alors qu'à leur époque tout le monde vivait dans des tours d'habitation.

Peu importe ce que c'était. À ce moment précis, Benjamin sut hors de tout doute que sa vie venait de changer irrémédiablement.

Jacob, qui pianotait nerveusement sur la table en réfléchissant lui aussi, arrêta soudain son geste.

– Vous avez dit que huit autres Verriens avaient traversé des trous de ver. Où sont-ils ?

– Ils n'ont pas eu la chance de passer inaperçus, leur apprit Edmond d'une voix tragique. Ils ont presque tous été capturés par les propriétaires de Zelfor, qui se sont servis de leurs propriétés sanguines extraordinaires pour créer leur fameux virus de longévité.

– Comment sais-tu tout ça ? le questionna Ben.

– Parce qu'ils sont des « cosantays », lui révéla Ariane.

« Ahhhh ! rugit intérieurement l'adolescent. Cette fille en sait donc plus que moi, même sur mes propres parents ?! »

– Elle a raison, approuva sa mère comme si de rien n'était. Zachary, Edmond et moi faisons partie d'un groupe qui a pour mission de protéger l'humanité contre les voyages dans le temps. *Cosanta* est un mot irlandais qui signifie « protecteur ». Certains d'entre nous travaillent chez Zelfor. Ils ont appris que Zhara, la dirigeante, avait pour projet de créer une armée sur Iskay. Elle veut ensuite revenir avec eux pour prendre le contrôle de la Terre.

– Pourquoi faire cela sur Iskay ? la questionna Jacob, étonné.

– Pour que ses soldats aient une espérance de vie de près de trois cents ans, dit Maïka.

– Lorsque Benjamin et Ariane sont apparus, ajouta Zachary, nous avons pu les soustraire aux griffes de Zhara. Nous n'avions réussi ce tour de force qu'une seule fois auparavant, avec un homme se prénommant Henri.

– Et j'imagine qu'il va, lui aussi, apparaître d'ici quelques minutes, dit Ben en se tournant vers la porte d'entrée.

– Aucun risque, le détrompa son père. Pour sa propre sécurité et pour la nôtre, il ne nous connaît pas. Il est en contact avec un seul cosantay. Au cours des dernières années, Henri s'est taillé une belle place dans l'entourage des haut gradés travaillant chez Zelfor. Il vient d'acheter son billet pour faire partie du groupe devant partir avec le prochain vaisseau spatial pour Iskay.

– Tu comprends maintenant, Jacob, dit Maïka, la raison pour laquelle ton père et moi n'étions pas très enthousiastes lorsque tu nous as parlé de partir là-bas. Nous ne voulons pas que tu sois mêlé à une guerre sur Iskay, que tu deviennes un des soldats de Zhara ou qu'elle t'oblige à travailler sur des projets visant à détruire notre liberté.

– Ouais, s'exclama Jacob, ironique. Je comprends bien des choses. Attends, je te résume. Mon frère a fait un bond de plus de cent trente ans dans le futur à l'âge de trois ans. Depuis, il est recherché par une multinationale qui veut le saigner à blanc pour s'approprier son sang dans le but de créer une armée à des années-lumière d'ici. Ils veulent ensuite ramener cette armée sur Terre pour prendre le contrôle du monde...

dans quelque chose comme cent ans, soit dit en passant. Mais ce n'est pas tout. Mes parents sont des sortes d'agents doubles protecteurs du temps. Mon grand-père est aussi « papa » d'une fille de mon âge qui n'a pas d'identité, donc qui n'existe officiellement pas, même si elle est assise devant moi. Ai-je oublié quelque chose ?

– Je sais que ça en fait beaucoup à digérer, admit Maïka.

Benjamin s'aperçut que toutes les personnes autour de la table lui étaient soudain comme étrangères. Tout ce qu'il croyait savoir s'effondrait. Il avait un profond besoin de se retrouver seul.

– Que devons-nous faire maintenant ? demanda-t-il dans le but d'abréger la discussion.

– On attend, répondit son père. Tous les cosantays vont unir leurs forces pour brouiller les pistes et empêcher qu'on remonte jusqu'à nous.

– Cet endroit est très bien protégé, les rassura Zachary. Vous allez passer la fin de semaine ici en attendant qu'on nous confirme que votre sécurité est de nouveau assurée dans votre cité.

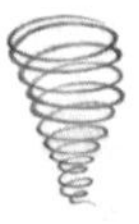

Au milieu de l'après-midi, Benjamin était assis les jambes ramenées sous le menton, dans un vieux fauteuil vert bouteille au dossier très haut. Il n'avait pas encore digéré tout ce qu'il avait appris. Machinalement, il passait son pouce sur son tatouage de tornade.

Jacob dormait encore dans la chambre bleue, mais Ben était certain que ses parents se chargeraient de le réveiller bientôt pour qu'ils reprennent tous un rythme de vie normal après leur nuit blanche.

De son côté, il s'était assoupi jusqu'à ce que sa mère entre dans la salle de séjour sur la pointe des pieds. Elle s'était délicatement assise sur le bras du fauteuil et avait passé une main sur les cheveux et le long de la joue de son fils adoptif. Benjamin n'avait pas bougé. Il avait simulé le sommeil, même lorsqu'une larme de Maïka était tombée sur son bras. Quelques minutes plus tard, lorsqu'elle avait quitté la pièce, il était encore plus chamboulé qu'avant.

Cela faisait plus d'une heure qu'il regardait la forêt par une des grandes fenêtres de la salle de séjour. Il appréciait ce moment de solitude. Comme chaque fois qu'il venait chez son grand-père, Amigo ne le lâchait pas d'une semelle et dormait au pied de son fauteuil. Ben laissa son regard se promener sur les nombreuses bibliothèques de livres... des livres en papier, bien sûr. L'adolescent n'avait jamais trouvé ça très pratique. C'était parfois lourd et toujours encombrant. Il fallait les tenir sans cesse, ça ne s'éclairait pas tout seul et on devait toujours surveiller l'endroit où on les déposait ainsi que la température extérieure si on sortait avec.

Au fil des ans, il avait cependant appris à apprécier les nombreuses bibliothèques de son grand-père. Il éprouvait un certain réconfort à être physiquement entouré de toutes ces histoires, comme s'il n'était jamais vraiment seul.

Encore aujourd'hui, alors qu'il avait l'impression que son univers s'était effondré, c'est ici qu'il se sentait le mieux. Ses yeux glissèrent sur un sifflet qui traînait sur une tablette à portée de main. Benjamin s'étira un peu et l'attrapa.

Il s'agissait d'un sifflet à ours. Son grand-père lui avait raconté que, les premières années où il avait vécu en forêt, il chassait beaucoup. Les ours avaient peur de lui. Cependant, étant donné que ces grosses bêtes passent près de vingt heures par jour à se nourrir, ils avaient vite compris que le bruit de l'arme de Zachary était synonyme de nourriture.

Après s'être retrouvé dans une position dangereuse à quelques reprises, son grand-père avait eu l'idée d'inventer ce sifflet au son novateur. Pendant des semaines, il avait tiré dans le vide avec son arme à un endroit de la forêt avant de se sauver pour aller souffler dans son sifflet plusieurs kilomètres plus loin. Là, il laissait de la nourriture. Les ours avaient ainsi appris à accourir au coup de sifflet et à rester de marbre au son de son arme. Tant que Zachary pensait à leur laisser un peu de nourriture régulièrement, il pouvait chasser en paix.

Benjamin avait toujours eu beaucoup de respect pour l'ingéniosité de son grand-père. Un sentiment de tristesse s'abattit sur lui pendant qu'il observait le sifflet. Qui était vraiment Zachary ? Son grand-père ? Un cosantay ? Un garde-forestier ? Un entraîneur ? Toutes ces réponses ?

Toutes ces journées passées en forêt avec son grand-père à apprendre de nouvelles langues et des notions de survie prenaient soudain une nouvelle signification.

Perdu dans ces réflexions, l'adolescent mit quelques secondes avant de s'apercevoir que Zachary venait d'entrer dans la pièce. La colère l'envahit alors.

– Comment te sens-tu maintenant ? s'informa Zachary.

– Trompé.

C'est en disant cela à haute voix que Ben comprit à quel point il venait de mettre le doigt sur ce qui le bouleversait tant depuis les premières lueurs de l'aube. Pendant onze ans, ses parents et son grand-père lui avaient caché la vérité. C'était difficile à accepter.

– Je n'ai plus confiance en ma famille, ajouta-t-il. Vous m'avez menti !

– Nous t'avons protégé, rectifia Zachary. Nous sommes des cosantays. Notre rôle consiste à protéger l'humanité contre les modifications du passé et le contrôle du présent et du futur par des Verriens.

– Et ça, ça justifie que vous m'ayez caché la vérité et qu'on ait forcé mes parents à s'occuper de moi ?

– On ne les a forcés à rien du tout, mon garçon, déclara son grand-père d'une voix grave. On leur a donné l'extraordinaire chance de t'élever et de t'aimer et ils ont été assez intelligents pour la saisir. Ton père me disait encore cette nuit que c'était une des meilleures décisions qu'il avait prises dans sa vie.

Benjamin avait besoin d'entendre ces paroles. Il baissa la tête pour retenir ses larmes. Ses parents l'aimaient ! L'adolescent n'était toutefois pas prêt à lâcher le morceau.

– Et pourquoi m'avoir caché l'existence d'Ariane ?

– Encore une fois, c'était pour vous protéger tous les deux. Lorsque tu es apparu, nous t'attendions. Nous ne savions pas quand tu arriverais, mais nous étions prêts. Tous les deux ans, une équipe de spécialistes cosantays créait de toutes pièces la naissance d'un enfant afin qu'il y en ait toujours un d'à peu près ton âge dont tu pourrais prendre l'identité. L'année où tu es apparu, c'était Edmond et Maïka qui élevaient un enfant fictif. Si tu n'étais pas arrivé, l'identité de cet enfant aurait été détruite d'une façon ou d'une autre et une autre famille aurait pris la relève. Ariane a été une surprise, poursuivit Zachary. Il fallait vite cacher cette enfant, le temps de lui préparer une identité. Or, loin de ses parents, elle s'est attachée à moi et hurlait de peur lorsque je sortais de son champ de vision. Nous avons rapidement convenu que le mieux pour elle était de rester ici. Je l'ai en quelque sorte adoptée.

– Mais elle n'a pas d'identité ?

– Pas au sens où tu l'entends, non. Elle n'est fichée nulle part. Elle n'a aucun passé, aucun dossier médical, aucune photo sur le wibi.

– Mais pourquoi ? voulut comprendre Ben.

– Parce qu'une femme nommée Zhara veut se servir des Verriens pour changer sa vie. Cette femme est la propriétaire de Zelfor. Crois-moi, Benjamin, je ne connais personne d'aussi dangereux qu'elle sur cette Terre ! Son père était un homme puissant qui rêvait de dominer le monde et qui a su se bâtir une fortune colossale. Fortune qu'il a léguée à sa fille en même temps que son amour du pouvoir.

– Donc, elle veut être la reine d'Iskay.

– Non. Iskay ne l'intéresse absolument pas, si ce n'est dans le vague espoir d'y découvrir une nouvelle ressource naturelle dont elle pourrait se servir. Elle ne veut pas d'un monde vierge où tout est à faire. Elle veut la Terre.

– Je ne comprends pas. Si elle est si riche, pourquoi ne se sert-elle pas de son argent pour prendre tout de suite le contrôle du monde ? Pourquoi en gaspille-t-elle une si grande partie pour envoyer des vaisseaux sur Iskay ?

– Parce que, comme tous les humains, Zhara vieillit trop vite. Elle veut la Terre, mais elle la veut longtemps. Aussi a-t-elle créé le virus de prolongation de la vie et nous prévoyons qu'elle se l'injectera sous peu.

– Pourquoi ne l'a-t-elle pas déjà fait ? insista Ben.

– Parce que, pour qu'il soit efficace, la personne qui reçoit le virus doit traverser un trou de ver. Le seul que nous connaissons est à près de cinquante années d'ici.

– Donc, elle doit aller sur Iskay, comprit l'adolescent.

– Et, bien sûr, en revenir...

– Avec une armée, ajouta Benjamin, car tout ce qu'elle connaîtra avant son départ aura disparu ou aura évolué pendant son absence, qui sera d'au moins cent ans.

– Tu as tout compris ! Zhara est une femme froide, décidée, manipulatrice et sans scrupule, lui dit Zachary. Lorsqu'elle donne aux passagers des vaisseaux spatiaux leur virus de longévité, elle leur administre également une série de micropuces d'obéissance. Une fois sur Iskay, ces gens ne sont plus libres de leurs mouvements. Les seules personnes sur qui ce virus n'a pas d'emprise sont les Verriens. Il n'y a donc qu'un Verrien qui puisse mettre fin aux projets de Zhara sur Iskay. C'est pour cette raison que nous y envoyons Henri, dont je t'ai parlé hier. C'est le seul Verrien, à part Ariane et toi, qui a échappé à Zelfor lorsqu'il a traversé à notre époque.

Avec toutes ces nouvelles informations, Benjamin avait besoin de plus d'espace pour réfléchir. Il décida de sortir. Il quitta donc la maison, Amigo sur les talons. Après quelques pas, il vit un des pigeons voyageurs de son grand-père voler en direction de la fenêtre du salon.

– Pourvu qu'il apporte de bonnes nouvelles, dit-il au chien.

- 9 -

REMPLAÇANT

Près de trente minutes plus tard, Jacob rejoignit Benjamin. Celui-ci avait les deux pieds dans l'eau froide du ruisseau et, avec un grand bâton, nettoyait l'éolienne de rivière qui fournissait de l'électricité à Zachary.

– Que fais-tu ? le questionna Jacob.

– J'occupe mes muscles, mais surtout... mon esprit. Ça me fait du bien ! Je suis fatigué de penser.

– Je te comprends, approuva Jacob en s'asseyant dans l'herbe. Tu sais, Ben, peu m'importe qui tu es et d'où tu viens. Tu es et seras toujours mon petit frère !

– Merci, murmura l'adolescent en relevant la tête pour fixer son aîné dans les yeux.

Jacob fit leur signe secret de tornade, auquel Ben répondit avant de reporter son attention sur la dernière hélice, dont il finit d'enlever la boue. Il regagna ensuite la berge.

– Que penses-tu de tout ça ? demanda-t-il en se laissant tomber aux côtés de Jacob.

– Je pense qu'il nous manque encore beaucoup d'informations. Pour l'instant, j'ai l'impression d'avoir été téléporté dans une autre réalité.

– Ouais, approuva Ben. C'est assez incroyable, tout ce qu'ils nous ont dit. Mais, pour être franc, ce qui me fâche le plus, c'est d'avoir été manipulé.

– Tu penses à toutes nos vacances chez grand-père ?

– Oui. Et aussi à tous les cours avec maman et papa.

– J'y ai réfléchi, moi aussi. Je pense comme toi qu'on nous a entraînés dans un but précis... mais pas pour faire de nous des soldats ou quelque chose comme ça. Non.

Simplement parce que nos parents veulent qu'on soit capables de sauver nos vies si on en a besoin.

– Je leur en veux de m'avoir caché leurs raisons. Je ne sais pas si tu peux comprendre, parce que ce n'est pas ta vie, mais la mienne qui est en danger.

– Tu te trompes. D'après ce que j'ai compris de la situation, en tant que frère d'un Verrien, je suis aussi en danger que toi. Tu crois vraiment qu'on me laissera tranquille si on m'attrape ? On me forcera à te dénoncer, ou, alors, je servirai d'appât. Crois-moi, aucun de ces choix ne me tente.

Benjamin garda le silence. Que la situation fût aussi dangereuse pour Jacob que pour lui ne lui avait pas encore traversé l'esprit.

– As-tu toujours l'intention de t'inscrire au concours pour Iskay ? s'informa-t-il au bout de quelques minutes.

– Je ne sais pas, avoua Jacob. Une chose est certaine, si nous ne gagnons pas la compétition et la bourse qui va avec, la question ne se posera même pas. Alors, même si tu es recherché par la moitié de la planète, je vais te remettre à l'entraînement. Deux jours d'arrêt, c'est déjà trop !

– Oui, monsieur l'entraîneur, rit Ben, conscient que Jacob souhaitait avant tout qu'il retrouve vite une vie normale.

Côte à côte, les deux frères reprirent le chemin de la maison de Zachary. Amigo gambadait devant eux.

– Benjamin, regarde ! lança Jacob en pointant le ciel du doigt.

Cinq oiseaux-messagers arrivaient en même temps.

– Ce n'est pas normal, répondit l'adolescent. Courons !

Ils parcoururent la distance qui les séparait de la maison en à peine deux minutes. Ils entrèrent en trombe dans la cuisine. Quatre têtes se tournèrent en même temps. Ben remarqua immédiatement l'expression catastrophée de sa mère.

– Nous avons une très mauvaise nouvelle, annonça Edmond en frottant tendrement le dos de son épouse. L'identité d'Henri a été découverte par Zelfor. Il a disparu et personne ne sait ce qui lui est arrivé.

– Peuvent-ils remonter jusqu'à nous, maintenant ? s'inquiéta Jacob.

– Non. Comme on vous l'a dit, pour sa propre sécurité et pour la nôtre, Henri ne savait presque rien de notre organisation.

– D'après ce que nous avons appris, dit Maïka, il a détruit des données importantes concernant ce qui s'est passé hier sur la base de transit. Henri était le seul à avoir accès à certains terminaux de Zelfor. Il s'est fait prendre alors qu'il mettait ton frère définitivement à l'abri.

Benjamin observait ses parents. Ils avaient des mines de condamnés.

– Mais pourquoi tous ces oiseaux ? marmonna-t-il.

– Henri devait prendre le prochain vaisseau pour Iskay, s'étrangla Maïka. Il avait pour mission ultime de détruire la base d'entraînement de l'armée. Maintenant, quelqu'un d'autre doit absolument prendre sa place.

– Un Verrien, précisa Zachary.

Un lourd silence suivit cette affirmation. Soudain, la signification des paroles prononcées apparut clairement à Ben.

– Moi, prononça-t-il lentement.

– Ou moi, compléta Ariane, blanche comme un drap.

Benjamin se laissa tomber sur une chaise pendant que son frère se mettait à faire les cent pas dans la pièce.

– Comment l'un d'eux peut-il prendre la place d'Henri ? demanda Jacob. On ne peut plus acheter de billets pour le prochain voyage depuis longtemps.

– C'est justement là qu'est le nœud du problème, révéla Edmond. À ce stade-ci, la seule façon d'avoir une place sur le vaisseau est d'être sélectionné pour le concours pour Iskay et de le gagner.

– Les cosantays souhaitent qu'Ariane et Ben essaient de participer aux épreuves d'élimination, leur annonça Edmond en désignant d'un geste vague tous les oiseaux-messagers. Seul un Verrien peut combattre le virus d'obéissance et demeurer libre de ses gestes une fois sur Iskay. C'est la dernière chance que nous ayons de sauver la Terre de l'emprise de Zhara.

Edmond se tourna vers son cadet.

– Il est impératif que l'un de vous réussisse. Idéalement... les deux. Ainsi, si l'identité de l'un est révélée, l'autre pourra continuer.

Maïka laissa échapper un sanglot, qu'elle refoula immédiatement.

– Et si nous n'étions pas sélectionnés pour les épreuves ? demanda Ariane.

– C'est ce qui nous inquiète...

Benjamin pensa au prix offert au gagnant de la prochaine compétition de skiroulo : une place pour les épreuves. Il n'avait absolument pas envie de quitter la Terre... mais avait-il le droit de ne penser qu'à lui ?

– Le premier prix de ma compétition de skiroulo a été annoncé, dit-il finalement pendant que Jacob arrêtait de marcher d'un coup sec. Il s'agit d'une place automatique parmi les deux mille finalistes pour Iskay.

– C'est providentiel, s'exclama Edmond.

– Mon garçon, déclara Zachary, tu dois remporter ce prix !

– Cela veut dire que nous devrons retourner chez nous, dit Maïka. Est-ce prudent ?

– Nous allons nous en assurer, décréta Zachary. Ensuite, il ne restera plus qu'à mettre tout en œuvre pour créer une identité à Ariane et faire en sorte que sa candidature intéresse le jury.

– Est-il déjà sélectionné ? demanda Edmond. Peut-être pouvons-nous y placer l'un des nôtres.

« Ils tiennent déjà pour acquis que je vais remporter la compétition », constata Benjamin, incrédule.

Tout doucement, un poids se déposa sur ses épaules pendant que la peur de les décevoir se frayait un chemin dans sa tête.

– Je veux devenir cosantay, annonça Jacob, en prenant tout le monde par surprise. Je participerai au concours et partirai avec eux. Je suis bien conscient qu'une fois là-bas je serai affecté par les puces d'obéissance, mais je pourrai les aider pendant les épreuves et pendant le voyage. Je trouverai sûrement aussi comment me rendre utile d'une manière ou d'une autre une fois rendu là-bas. À trois, les chances de réussite seront encore plus grandes.

Benjamin fut très touché par la demande de son frère. Edmond acquiesça de la tête.

– Il n'en est pas question, lâcha Maïka.

– Je vais faire part de ton désir aux cosantays, la contredit Edmond. Nous n'avons pas une minute à perdre.

Il prit son épouse par la taille et l'entraîna délicatement vers le salon pour pouvoir lui parler en privé. Quelques secondes plus tard, ils revinrent comme si de rien n'était. Puis, ce fut le branle-bas de combat. Edmond, Maïka et Zachary se mirent à écrire des messages pour retourner les oiseaux-messagers. Pendant ce temps, Ben regardait Ariane du coin de l'œil. On ne lui avait pas demandé son avis à elle non plus. Il s'en approcha.

– Veux-tu partir ? lui demanda-t-il.

– Non, admit-elle franchement. Mais je le ferai.

L'adolescent observa la jeune fille de la tête aux pieds. Elle portait une longue jupe qui atteignait ses pieds nus ainsi qu'un tricot qu'elle avait sans doute fait elle-même. Elle semblait si fragile dans cette cuisine d'un autre siècle... Comment réussirait-elle ?

– Je suis plus forte que j'en ai l'air, dit-elle en le dévisageant à son tour. N'oublie pas que c'est Zachary qui m'a élevée. De toute façon, j'ai pris ma décision. Que tu participes à ce concours ou non n'y changera rien !

Benjamin acquiesça de la tête, mais conserva tout de même ses doutes. Il soupçonnait qu'Ariane ne connaissait rien de leur époque.

« Mais moi, oui ! se rendit-il compte. Si je remporte la course, je serai sur la base et je pourrai l'aider. »

La colère qui le minait quelques heures auparavant venait de s'envoler. Benjamin était un battant et ce défi réveillait son esprit de compétition. On ne lui imposerait pas le concours pour gagner une place sur Iskay.

« Je choisis de participer ! se dit-il. C'est très différent. Moi aussi, je peux travailler à sauver la Terre de la domination de cette Zhara. »

Quelques heures plus tard, deux oiseaux-messagers revinrent. On leur annonçait que la famille Maska pouvait retourner chez elle. Même que ce serait mieux, car Zelfor était en train de répertorier tous ceux qui se trouvaient sur la base de transit au moment où le temps avait été arrêté. Benjamin, Jacob et leurs parents devaient reprendre au plus vite leur vie normale afin de ne pas éveiller les soupçons.

Dans la soirée, ils reprirent donc le chemin de leur complexe d'habitation. Pendant le trajet, Maïka et Edmond bombardèrent leurs fils de conseils de prudence.

– En aucun cas ne prononcez les mots : « cosantay », « Zhara », « Zelfor », « trou de ver », « Henri » ou « Verrien », les prévint Maïka. Vos conversations peuvent être écoutées.

– Soyez surtout très prudents dans vos messages électroniques.

– Quels messages électroniques ? Nous n'avons même plus nos technocoms, fit remarquer Jacob.

– Autant que possible, reprit Maïka sans relever la remarque de son aîné, ne restez pas seuls.

– Concentrez-vous sur votre objectif : gagner la compétition. Benjamin, tu ne dois tout de même pas attirer l'attention. Alors, interdiction de manquer tes cours pour t'entraîner. Même chose pour toi, Jacob.

Les deux frères grimacèrent de déception.

De retour chez lui, Benjamin se rendit dans sa chambre. Dès qu'il passa la porte, la voix informatique de l'ordinateur de la maison se fit entendre.

« Vous avez quatre messages. »

– Accepté.

Aussitôt, le visage de son ami Tristan apparut.

« Message 1 : vendredi 28 mai 2162, vingt heures trente.

– Hé ! Mon père a acheté la diffusion en direct du match. J'ai oublié de te demander où tu étais assis. Ça fait quinze minutes que je te cherche dans l'assistance. Je viens de te trouver. Tu es occupé à enlever une saleté entre tes dents. Bravo ! C'est très élégant. Rappelle-moi. »

« Message 2 : vendredi 28 mai 2162, vingt-deux heures quarante-trois.

– Ben ? Le match est terminé depuis au moins trente minutes. Pourquoi tu ne me rappelles pas ? »

« Message 3 : vendredi 28 mai 2162, vingt-trois heures dix-huit.

– Ton technocom est-il brisé ? »

« Message 4 : vendredi 28 mai 2162, vingt-trois heures vingt-trois.

– Ton frère ne répond pas non plus. Ni ta mère. As-tu un problème ? Je viens d'aller réveiller mon père. Il me dit de ne pas m'inquiéter. Moi, je pense qu'un filet de rétention d'oiseaux peut toujours se briser. J'espère que vous n'avez pas eu un accident de vol. Il refuse de me laisser faire une recherche dans les listes des hôpitaux. Rappelle-moi vite. »

Ben se dépêcha de demander la communication avec son meilleur ami. Dès que l'image de l'adolescent apparut devant lui, Benjamin afficha son plus beau sourire. Tristan l'observa de la tête aux pieds, puis l'inquiétude sur son visage se changea en colère.

– Où étais-tu ?

– On a dû aller d'urgence chez mon grand-père. Tu sais qu'il n'a pas de réseau.

– Et tu sais ce que j'en pense ?

– Ouais. Désolé que tu te sois inquiété pour moi.

– Ouais. Pourquoi tu ne répondais pas à ton technocom après le match ?

C'est là que ça se corsait. Benjamin savait bien qu'il devait mentir à son meilleur ami et il n'aimait vraiment pas ça. Il décida d'essayer d'être le plus franc possible.

– Je l'ai perdu.

– Sérieux ?

– Ouais.

– Comment t'as fait ça ?

Bon ! Il ne pouvait tout de même pas dire qu'il l'avait remis volontairement à un homme qu'il ne connaissait pas, dans un stationnement souterrain... Pour quelle raison logique aurait-il bien pu vouloir l'enlever de son poignet ?

– Je l'ai enlevé de mon bras pour essayer le nouveau régulateur de rêves sur la base de transit.

– Celui qui envoie des ondes à ton cerveau pour moduler tes rêves ?

– Exactement.

– Cool !

– Ouais, mais, quand j'ai enlevé le régulateur, mon technocom avait disparu. Maintenant, je suis obligé d'utiliser mon vieux.

Benjamin avait peur que son ami le bombarde de questions sur les possibilités du régulateur de rêves. Il s'empressa de mettre fin à la conversation.

– Écoute, j'ai un entraînement dans quelques minutes. Veux-tu qu'on se rejoigne pour dîner demain ?

– OK. Super. Bye.

Ben arrêta la transmission et essuya ses mains sur son pantalon. Elles étaient moites. Il se sentait terriblement coupable.

– Quel genre d'ami suis-je ? marmonna-t-il, de mauvaise humeur.

Dès l'aube, le lendemain matin, les deux frères Maska se rendirent au gymnase. L'entraînement reprit. Benjamin s'échauffa, puis passa une heure dans le simulateur de rivières. Dès qu'il en sortit, Jacob le fit monter sur un tapis roulant, où il passa une autre heure. À sa descente, il fit une série d'étirements tout en se penchant sur la feuille multifonction que son frère déroulait. Les résultats de sa dernière descente dans le simulateur de rivières venaient d'apparaître. Ils étaient très bons, mais Jacob décela tout de même quelques lacunes.

À partir de ce moment, ils redoublèrent d'ardeur dans les entraînements. Il était impératif qu'ils gagnent et tous deux le savaient. Le comité de sélection des participants au concours recevrait des centaines de milliers de candidatures. Le meilleur moyen de s'assurer que Ben serait reçu restait la compétition. Ensuite, on se croiserait les doigts pour Ariane et Jacob.

Après sa journée au collège, son souper et ses devoirs, Benjamin rejoignit Jacob pour son entraînement. Sa compétition était dans six jours.

– Hé ! Le frangin ! le héla celui-ci. Viens voir ce que je t'ai concocté !

En s'approchant, Ben remarqua une araignée suspendue à un fil au-dessus de la tête de son frère. Elle était en train de se laisser glisser au sol. L'adolescent reporta son attention sur son entraîneur. Assurément, Jacob venait d'ajouter à son casque un nouveau gadget de son cru.

– C'est le métier d'inventeur que tu aurais dû choisir plutôt que celui d'entraîneur, lança-t-il.

– Tu sauras que l'un n'empêche pas l'autre, répondit son aîné.

C'était sa maxime. Il parvenait toujours à faire trois choses en même temps et à les réussir. Que lui réservait-il cette fois ?

– Voici ton régime pour les deux prochains jours, dit-il à son cadet en montrant son vieux technocom. J'ajoute la liste des étirements et exercices que je veux que tu fasses quotidiennement d'ici samedi et ton horaire pour le jour J.

Ben sentit une petite vibration sur son bras, signe que les trois documents venaient d'arriver.

– Ce soir, nous allons nous concentrer sur ta vision, lui annonça Jacob.

Il lui tendit son casque. Pour le mettre, Benjamin pencha la tête vers le sol et revit la petite araignée qui montait maintenant sur la patte de la table. Une étrange lueur apparut pendant une fraction de seconde sur le sommet de sa tête. Le sportif cligna des yeux. Il observa de nouveau l'arachnide. Rien ne se produisit. Puis, une pensée germa dans son esprit. Et s'il s'agissait d'une araignée-espionne ? Après les révélations extraordinaires de Zachary et de ses parents, la chose était possible.

L'adolescent déposa son casque sur la table, vida un récipient de plastique contenant une dizaine de vis et prit l'araignée au piège.

– À quoi joues-tu ? s'enquit Jacob.

Benjamin lui fit signe d'attendre. Il ne voulait pas avoir l'air paranoïaque s'il se trompait. Or, sitôt pris au piège, l'arachnide tourna frénétiquement en rond dans le sens des aiguilles d'une montre à une quinzaine de reprises. Puis, elle appuya deux de ses huit pattes sur le bord du pot, comme si elle poussait.

– À ton avis, est-ce un comportement normal ? demanda-t-il, nerveux.

– Il faut prévenir papa, dit Jacob en pianotant frénétiquement sur le technocom que son père lui avait déniché la veille.

- 10 -

ESPION

Il fallut à peine une quinzaine de minutes à Edmond pour arriver en catastrophe. Benjamin vit le soulagement dans son regard quand il constata que ses fils étaient sains et saufs. Il ralentit le pas et demeura très calme en se saisissant de la bestiole.

Pour sa part, l'adolescent était de plus en plus fébrile et inquiet. Il se mit à parler très vite.

– Penses-tu que c'est un insecte-espion ? Je suis sûr que oui. J'ai vu ça l'autre jour sur le wibi. On devrait appeler maman aussi. Elle est peut-être en danger. Ce n'était pas une bonne idée de revenir.

– Benjamin. Tu dois te calmer, ordonna Edmond.

L'adolescent hocha la tête. C'est vrai qu'il était devenu une boule de nerfs en deux jours. Et devoir mentir à Tristan n'avait pas aidé les choses.

– C'est bien une araignée-espionne, confirma Edmond lorsqu'il vit que son fils prenait une grande inspiration pour se détendre. Toutefois, je suis persuadé que ce n'est pas vous-savez-qui qui l'a envoyée. Si c'était le cas, tu serais déjà dans un laboratoire à l'heure qu'il est.

Bon ! La bonne nouvelle était que ce n'était pas Zelfor qui était derrière tout ça. Mais l'idée du laboratoire fit tout de même grimacer Benjamin.

– Je vais l'ouvrir et découvrir à qui elle appartient, décida Edmond.

– Tu sais faire ça ? le questionna Jacob, surpris.

– Penses-tu que je travaille au centre de la sécurité de notre complexe d'habitation depuis vingt ans et que je ne sais rien faire de mes dix doigts, fils ?

– C'est une question piège, riposta Jacob avec un sourire espiègle. Je m'abstiendrai de répondre.

Dès qu'Edmond fut parti, les deux Maska reprirent l'entraînement avec ardeur. Une heure plus tard, ils s'accordèrent une petite pause.

– Plus j'y pense, plus je suis certain que ce sont nos compétiteurs qui tentent de nous espionner, décréta Jacob.

Il y a quelques jours, cette perspective aurait insulté et fâché Ben. Aujourd'hui, il trouvait cette explication rassurante. En y pensant bien, c'était possible. Le premier prix était si extraordinaire ! Une première à ce niveau de compétition. De plus, les jours étaient comptés.

« Nous devons vraiment être prêts ! » se répéta-t-il.

Son père s'acharna sur l'araignée-robot toute la soirée et une partie de la nuit.

Au matin, il annonça à ses fils qu'il avait découvert son propriétaire.

– Il s'agit du jeune William Lessard, révéla-t-il.

« Ainsi, Jacob avait vu juste », pensa l'adolescent.

William possédait un équipement coûteux régulièrement modifié et amélioré grâce à la fortune de ses parents. Il avait un entraîneur privé et une équipe de professionnels autour de lui. Si l'araignée lui appartenait, cela pouvait expliquer qu'il semblait toujours au fait des progressions et des nouvelles manœuvres de ses compétiteurs. Jusqu'à maintenant, William était toujours parvenu à les égaler ou à faire mieux qu'eux.

– Cet engin a une autonomie de plusieurs mois, leur apprit Edmond. Une fois sa cible enregistrée, il est programmé pour recueillir toutes les informations possibles sur celle-ci. Il n'envoie rien à distance afin que les appareils de détection habituels ne le repèrent pas. Je suis parvenu à effacer les données déjà enregistrées.

Au grand étonnement de Benjamin, Jacob écouta leur père sans dire un mot. Ce n'était pas dans sa nature d'être si calme devant une injustice. Lorsque Edmond quitta la pièce en laissant l'araignée, son frère s'en empara et la tourna plusieurs fois entre ses doigts. Puis, il l'emprisonna au centre de son poing et s'exclama :

– Ce tricheur de William ! Il n'y a que lui pour agir ainsi. Nous devons faire quelque chose.

Jacob regarda son nouveau technocom. Contrarié, il leva les yeux au ciel.

– Je n'ai pas le temps ce matin. Si je ne pars pas tout de suite, je vais être en retard au collège pour un travail d'équipe. Mais je viens d'avoir une idée ! Rejoins-moi dans ma capsule d'apprentissage à midi pile.

L'avant-midi parut interminable à Benjamin. Enfin, l'heure de son rendez-vous avec Jacob arriva. Il connaissait bien son aîné, et son air déterminé du matin laissait présager quelques problèmes pour son ennemi.

Il s'empressa de demander à son ordinateur la connexion avec Jacob. Dès qu'elle fut acceptée, un des côtés de sa bulle d'apprentissage se modifia et son frère apparut à ses côtés. C'était comme si les deux garçons se trouvaient dans la même pièce même si, dans les faits, ils étaient séparés par trois étages. Benjamin ne se donna même pas la peine de saluer son aîné et entra dans le vif du sujet.

– Alors, qu'as-tu en tête ?

– Une petite farce tout ce qu'il y a de plus gentil, répondit-il en se frottant les mains.

Jacob ouvrit la boîte dans laquelle il avait rangé l'araignée et l'en sortit. Délicatement, il la tint entre les doigts de sa main gauche et prit un minuscule tournevis dans sa droite.

– Pendant que je lui retire son disque-mémoire, dit-il, trouve-moi des bruits de pets sur ton ordi et envoie-les-moi.

L'adolescent s'exécuta en riant. Dès que ce fut fait, il regarda patiemment Jacob taper une série de codes sur son clavier. Plusieurs minutes plus tard, son frère lui ordonna :

– Prononce le prénom de notre ami pour voir.

– William.

Aussitôt, un énorme son de gaz intestinaux retentit et les deux frères éclatèrent de rire. Benjamin reprit :

– William... William... William...

Chaque fois, un bruit de flatulence résonnait. Ben riait tellement qu'il en avait mal aux côtes.

– Ça... lui... apprendra... à nous espionner, réussit à prononcer Jacob en essuyant les larmes qui coulaient de ses yeux.

En soirée, assis dans le vestiaire de l'immeuble C, Benjamin se préparait pour son entraînement en savourant à l'avance la réaction de William.

Depuis qu'il avait appris qu'il était Verrien, l'adolescent avait un peu oublié contre qui il devrait se battre dimanche. Il était temps qu'il s'occupe de lui. Perdu dans ses pensées, il mit quelques secondes avant de prendre conscience que la voix qu'il entendait de l'autre côté des cases personnelles de rangement était justement celle de son ennemi.

– Il est tellement idiot ! affirmait William. Je te garantis qu'il va le faire !

– Comment peux-tu en être si certain ? demanda une voix que Ben identifia comme celle d'Étienne, le meilleur ami de William.

– Facile ! J'ai dit à Jacob que, s'il ne s'occupait pas de dérégler le système d'entraînement des adultes, son petit frère allait nous trouver sur sa route demain. Ça fonctionne à tous les coups !

– Ha ! Ha ! Ha ! s'esclaffa Étienne. De plus, tu as bien choisi ta journée. Le responsable des aérovéhicules s'entraîne à cette heure-ci. J'espère qu'il s'épuisera à la course. Ça lui apprendra à nous faire attendre notre voiture sans raison !

– Ouais... Allons-y ! Le spectacle commence dans dix minutes !

Jacob ! Benjamin serra les poings. Son frère avait dix-huit ans. S'il se faisait prendre, il devrait répondre de ses gestes devant le conseil de sécurité de leur complexe et ses chances d'être retenu pour Iskay s'il avait une fiche d'indiscipline seraient presque nulles.

« Je dois faire quelque chose ! » estima-t-il.

Le jeune sportif sortit du vestiaire et appela aussitôt son meilleur ami, qui répondit dans la seconde.

– Tristan, j'ai absolument besoin de toi ! Peux-tu repérer Jacob immédiatement ? l'implora l'adolescent sans donner plus d'explications.

Tristan garda le silence. Ben connaissait bien son ami. Il savait qu'il était en train de scruter les bases de données publiques et semi-privées de leur complexe d'habitation. Il n'avait pas son pareil pour débusquer les gens à partir des traces digitales et vocales d'enregistrements.

– Il y a vingt minutes, il était dans le local I-27 de l'immeuble C. Euh... Ben ? C'est un local sécurisé.

– Es-tu capable d'interchanger ses traces informatiques avec les miennes ?

– Qu'est-ce que tu fabriques ?

– Tristan... s'il te plaît... c'est urgent.

– OK. Je vais essayer, mais je ne te garantis rien.

– Appelle-moi dès que tu y seras parvenu.

Benjamin partit au pas de course. Il n'était qu'à quelques mètres du local en question. Lorsqu'il y arriva, il frappa de ses deux poings sur la porte.

– JACOB ! Je sais que tu es là ! Ouvre-moi !

L'adolescent vit le voyant rouge passer au bleu et la porte glissa dans le mur. Devant lui se tenait Jacob. Il avait un regard inquiet.

– Comment as-tu su que j'étais ici ? demanda-t-il.

– J'ai surpris une conversation entre William et Étienne.

– Ah ! Alors, tu sais sans doute que je viens d'envoyer une commande pour que tous les tapis roulants des espaces individualisés d'entraînement doublent puis triplent de vitesse.

– Tu es plus vieux qu'eux. Je ne t'ai jamais vu plier devant William. Veux-tu bien me dire à quoi tu penses ?! Tu n'étais pas obligé de leur obéir.

– Oh oui, je l'étais. Tu DOIS participer à la compétition et tu DOIS la gagner. C'est mon rôle de futur tu-sais-quoi que de veiller à ce que tu partes pour tu-sais-où. Peu importe ce que cela peut me coûter à moi. William aurait trouvé un moyen de t'attaquer demain et de te blesser si je n'avais pas cédé.

– Tu sembles oublier que j'ai besoin de tes directives pendant la compétition ; surtout contre un concurrent comme William !

Jacob ne répondit pas. À l'évidence, il n'avait pas pensé à ça. Benjamin s'approcha des écrans et observa le programme que son frère avait lancé. Aucun doute qu'il s'agissait d'une création de William : la vitesse des tapis allait augmenter sans cesse de façon constante ; peu importe le paysage choisi par les gens qui s'entraînaient, le ciel allait s'obscurcir et le vent se mettrait à souffler jusqu'à une vitesse de quatre-vingts kilomètres-heure ; une montagne apparaîtrait et les coureurs devraient la gravir pendant qu'un énorme chien noir aux canines proéminentes surgirait derrière eux. De plus, le système était conçu pour ne pas s'arrêter à la saisie du dernier mot de passe choisi par l'utilisateur, mais pour remonter à l'avant-avant-dernier.

– Arrête tout ça.

– Impossible. William m'a dit comment le démarrer, mais pas comment y mettre fin.

À ce moment, le téléphone de Ben vibra à son oreille.

– J'ai réussi, lui annonça Tristan. Tu es dans le local I-27 depuis vingt-sept minutes et Jacob est encore aux vestiaires.

– Merci ! Je te raconterai plus tard !

L'adolescent éteignit la transmission et se tourna vers son aîné.

– Pars d'ici et cours jusqu'aux vestiaires sans toucher à rien pour ne pas laisser de traces digitales. Attends que quelqu'un ouvre la porte pour y entrer.

– Benjamin, tu ne peux pas prendre ma place. Je ne peux pas te laisser te sacrifier pour moi.

– C'est toi qui ne comprends pas. Tu ne peux pas porter ce blâme. Tu sais ce qui t'arrivera. Mon dossier est vierge et, étant donné mon âge, on me pardonnera cette mauvaise farce.

Ben vit que le programme entrait dans sa seconde phase. Bientôt, les surveillants arriveraient.

– Le temps presse... Pars, Jacob !

Son frère se tourna vers la porte puis s'arrêta avant de la franchir.

– Tu as intérêt à avoir raison, l'avertit-il.

Puis, il s'enfuit en courant. Resté seul, Benjamin ne mit que quelques secondes à prendre conscience de ce qu'il venait de faire. Il avait sauvé son frère, certes, mais il avait aussi sauté à pieds joints dans les problèmes. Décidément, cette semaine avait été créée pour chambouler sa vie !

« Suis-je capable d'arrêter ce programme ? » se demanda-t-il.

À peine avait-il eu le temps d'ouvrir quelques fenêtres que les gardiens de l'immeuble C arrivaient dans le local.

- 11 -

ARRESTATION

Une demi-heure plus tard, Benjamin entra dans le bureau du superviseur de son immeuble. Ses parents étaient déjà là. Sa mère était assise bien droite, les lèvres pincées. Edmond regarda son fils dans les yeux avec l'air de dire : « Je t'en prie, assure-moi que tu n'as rien fait de grave. »

Le superviseur s'assit et leur relata les faits tels qu'il les connaissait.

– Nous avons dû arrêter d'urgence toutes les stations d'entraînement, conclut-il. Certaines personnes se sont blessées, d'autres ont eu très peur et tout le monde a eu de la difficulté à reprendre son souffle. Benjamin, peux-tu nous expliquer ce qui s'est passé ?

– J'avais ce programme et j'ai voulu l'essayer.

– Comment l'as-tu eu ? demanda patiemment le superviseur.

L'adolescent réfléchissait à toute vitesse. Il ignorait quelle réponse donner. Il ne pouvait pas nommer William. Il n'avait aucune preuve et on risquait de remonter jusqu'à Jacob. Il jeta un coup d'œil à ses parents. Maïka l'incitait du menton à avouer et son père avait l'air extrêmement déçu de lui. La réaction d'Edmond lui fit beaucoup de peine. Malgré tout, il décida de rester vague. Si ça continuait, il deviendrait un professionnel du mensonge !

– J'ai trouvé ce programme dans le vestiaire, s'entendit-il répondre.

– Et tu l'as essayé sans savoir ce que c'était ? s'insurgea sa mère.

– Il devait en avoir une petite idée, puisqu'il s'est donné la peine de déjouer le système de sécurité de la porte du local I-27, révéla le superviseur.

Benjamin resta silencieux.

– Bien, puisqu'il semble que tu as décidé de te taire, je n'ai d'autre choix que de te donner le temps de réfléchir. Tu seras donc confiné à ton immeuble d'habitation pour une durée de sept jours à compter de demain, sauf, bien sûr, pour aller en classe.

– Ma compétition de skiroulo est dimanche, lança le sportif, paniqué.

– Eh bien, peut-être te décideras-tu plus vite à parler... ou peut-être que c'est cette pression justement qui te fait prendre de mauvaises décisions. Je pense qu'une pause pourrait t'être bénéfique.

Benjamin ne savait plus quoi dire. Quelle catastrophe ! Comment rattraper tout ça ? Il lança un regard paniqué à son père. Edmond vint à son secours.

– Louis, mon ami, je conçois que mon fils a besoin d'être puni. Je ne m'y opposerai pas. Par contre, si je puis me permettre, j'aimerais attirer ton attention sur le fait que son dossier est parfait. Il réussit bien à l'école et participe à ses cours supplémentaires avec nous. Tu sais bien qu'il est sérieux et qu'il ne t'a jamais donné de fil à retordre depuis que nous vivons ici. Ça devrait jouer un peu en sa faveur, non ? Il s'entraîne pour la compétition de dimanche prochain depuis un an. Il est en bonne position pour la remporter. Tu connais l'enjeu tout à fait particulier de cette course ! C'est du jamais vu pour une compétition senior. Cette victoire apporterait une belle visibilité à notre immeuble. Je pense que nous avons tout à gagner à le laisser participer.

Le superviseur braqua ses yeux sur Ben comme s'il le scrutait à la loupe. L'adolescent eut le bon goût de pencher la tête en signe de regret.

– Il est vrai que c'est ta première infraction. Par contre, les conséquences de ta farce ont été graves pour certains habitants et il est important que tu en prennes conscience.

Le jeune sportif sauta sur cette ouverture.

– Je comprends très bien. C'était vraiment idiot de ma part et je regrette sincèrement tout ce qui s'est passé. Peut-être pourrais-je réparer mon geste ? N'avez-vous pas un travail communautaire à me confier ? Je suis prêt à travailler autant que vous le jugerez nécessaire pour le bien des habitants.

Le superviseur pianota l'écran tactile de son bureau pendant quelques secondes, ouvrant des fenêtres et en écartant d'autres. Puis, il releva la tête vers l'adolescent.

– Puisque cette suggestion vient de toi, je l'accepterai. Tu as trois semaines pour faire trente heures de travail communautaire sur la base aérienne de transit numéro trois. Je t'envoie les directives sur ton techno-com. Tu es un bon garçon, Benjamin. Je ne veux plus te voir dans ce bureau.

– D'accord. Merci.

Le chemin du retour dans les couloirs de l'immeuble se fit en silence. Benjamin savait que ses parents n'avaient pas dit leur dernier mot. Son père l'avait-il sauvé parce qu'il avait eu pitié de lui ou parce qu'en tant que cosantay, il devait tout faire pour que son fils fasse partie des deux mille finalistes pour Iskay ?

Sitôt la porte du condo refermée, sa mère s'exclama :

– Vraiment ? Le bureau du superviseur de l'immeuble ! Je n'en reviens pas ! C'est de cette façon que tu essaies de passer inaperçu ? Si tu étais bouleversé par les révélations de ton grand-père, il fallait nous en parler... et non pas faire courir jusqu'à l'épuisement des gens qui ne t'ont rien fait.

– C'est ma faute, avoua Jacob en les rejoignant dans l'entrée.

– Laisse tomber, lui lança Ben.

– Certainement pas ! reprit Maïka, catégorique. Je veux connaître le fin mot de cette histoire.

Pendant qu'ils prenaient tous place à la table de la salle à manger, Benjamin leur avoua les dessous de l'histoire. Edmond et Maïka connaissaient les déboires de leur fils avec William.

– Vous devez être prudents, les garçons ! les prévint Edmond. Dès que la compétition sera terminée, nous vous formerons chacun pour votre rôle. En attendant, je vous en prie, adoptez un profil bas !

En retournant vers leurs chambres respectives, Jacob se pencha vers son frère et lui chuchota :

– Au moins, je suis parvenu à refiler à William sa petite bestiole. Si j'ai bien réussi ma programmation, elle devrait se cacher dans son dos, plus précisément dans l'ourlet, au bas de la veste de compétition qu'il porte toujours au collège pour montrer à quel point il est cool !

Le lendemain midi, dès qu'il pénétra dans la cafétéria, Benjamin vit un grand sourire fendre les lèvres de William.

– As-tu aimé ta soirée ? le questionna le bourreau de service de son immeuble. Quelle surprise quand j'ai vu que tu avais pris la place de ton frère ! Que c'est touchant ! Tu ne t'es pas trop fatigué, j'espère ?

Avec la compétition de dimanche, ce ne serait pas une bonne idée. Quoique... peut-être ne la feras-tu pas finalement...

L'adolescent ne se donna pas la peine de répondre et poursuivit son chemin.

– Hé ! Benjamin ! cria Étienne de l'autre côté de la cafétéria. Voici un petit quelque chose pour toi !

Sur chacun des murs de la salle, Ben vit apparaître la scène d'arrestation dont il avait été l'acteur principal la veille. Dans cette perspective, on aurait dit qu'il était un criminel de premier ordre. La honte le saisit à la gorge pendant que les élèves à la table de William applaudissaient et commentaient bruyamment le spectacle. Jacob se leva d'un bond et se dirigea vers son frère.

– Oublie-les, recommanda-t-il. Dans quelques mois, nous serons loin et, dans cent ans, c'est nous qui rirons d'eux, bien confortablement installés sur les plages de sable d'Iskay.

Benjamin approuva de la tête. Puis, il eut une idée et il cria brusquement :

– Très drôle, William.

Aussitôt, un énorme son de gaz intestinal se fit entendre. Surpris, William sursauta et regarda derrière lui. Sa réaction déclencha une cascade de rires.

– Que se passe-t-il, William ? lança un de ses amis, avant qu'un deuxième son disgracieux se fasse entendre.

– Ce n'est pas moi, se défendit l'adolescent.

– Bien sûr, William, dit Étienne, ce doit être ton fantôme.

Au troisième pet, William quitta la pièce le plus dignement possible pendant que tous ceux qui avaient retenu leur fou rire par peur de représailles s'esclaffaient bruyamment.

Dimanche matin, assis à la table de la cuisine, Benjamin observait sa rôtie d'un œil absent. Les doigts de sa main gauche pianotaient sans arrêt sur la table. L'adolescent avait le teint vert et contrôlait difficilement son agitation. Au cours de la nuit, la nervosité s'était immiscée dans chacune des fibres de son corps.

À sept heures, Jacob donna le signal du départ pour le site de la compétition en appelant la voiture familiale. Leurs parents la leur prêtaient pour qu'ils se rendent sur le lieu de l'épreuve sportive. Eux-mêmes avaient plié bagage la veille pour passer la soirée et la nuit chez des amis, où ils devaient travailler à créer une identité infaillible à Ariane. De là, Edmond et Maïka se rendraient directement sur le site sportif.

Ben entra dans la voiture et s'assit à l'arrière. Jacob dicta à l'ordinateur de bord l'adresse de leur destination et la voiture s'éleva doucement. Selon les données inscrites sur la console, sept cent quatre-vingts kilomètres les séparaient du mont Jacques-Cartier, où devait se tenir la compétition.

– Nous allons prendre le troisième niveau d'aéroroutes, l'informa Jacob. Nous serons donc arrivés dans à peu près deux heures.

Pendant que la voiture se dirigeait vers l'adresse indiquée, Jacob fit pivoter son siège afin de faire face à son frère.

– Revoyons encore une fois notre stratégie, décida Jacob.

– Le plus important, remarqua Ben, est de rester devant William. On ne peut jamais prévoir ses réactions.

Le jeune sportif se remémora sa dernière course. Dans le deuxième segment de la piste, William Lessard avait laissé tomber au sol de petites plaquettes de métal qui s'étaient transformées en prismes triangulaires. Lorsque les roues de sa planche en avaient rencontré un, Ben avait failli être projeté au sol la tête la première. Il était parvenu de justesse à rattraper sa planche et à poursuivre sa descente, mais plusieurs concurrents n'avaient pas eu cette chance. Ils étaient sortis du sentier et avaient été éliminés de la course.

Bien sûr, l'équipement était vérifié au départ. Toutefois, une modification de la fonction de certains gadgets était toujours possible. William avait toujours réussi à passer les contrôles sans problème.

– Tu dois aussi choisir le bon moment pour utiliser les nouveaux réacteurs que je t'ai créés, expliqua Jacob.

Chaque skirouloi avait deux réacteurs sur sa planche pour la descente de la rivière. La quantité d'énergie emmagasinée dans chacun était la même pour tous et était calculée en fonction de la longueur de la descente des rapides. Les juges étaient très pointilleux sur ce point et la vérification était toujours minutieuse. Cette fois, Jacob avait trouvé un moyen d'ajouter deux petits réacteurs de chaque côté de la planche.

– J'ai calculé que chacun avait une durée de vie de deux minutes et onze secondes si tu les charges complètement. Étant donné que je ne voulais pas que les vérificateurs nous les enlèvent dès le départ, expliqua-t-il, aucune forme d'énergie n'est emmagasinée à l'intérieur. De cette façon, ils n'attireront pas l'attention.

– Comment pourrai-je les utiliser, alors ? s'inquiéta Benjamin.

– Ils se chargeront tout seuls au fur et à mesure de ta descente. Ils accumuleront l'énergie solaire, celle produite par ta chaleur corporelle et celle résultant de la friction de ta planche avec le sol. L'inconvénient est qu'ils ne pourront se charger qu'une seule fois chacun. Essaie donc de t'en servir à deux moments différents. Cela t'avantagera.

L'adolescent acquiesça pendant que sa nervosité montait encore d'un cran.

- 12 -

AGRESSIONS

Arrivé à destination, Jacob ne perdit pas une seconde et fit les derniers ajustements sur l'équipement de son frère. Pendant ce temps, Benjamin observa la piste : près de dix kilomètres de piste de neige, suivis de quinze kilomètres de terre et de gravier, puis de six kilomètres de rapides. Les battements de son cœur s'accélérèrent. L'enjeu était de taille.

« Une bourse de quatre mille crédits, se remémora l'adolescent, et surtout, surtout... une place pour le concours pour Iskay. Je DOIS gagner ! »

Il prit une photo grand-angle avec son technocom et la projeta devant lui. Il l'agrandit ensuite jusqu'à ce qu'il repère le début de la piste de terre.

Catastrophe ! C'était le pire scénario. La neige cédait le pas au gravier sur une distance d'à peine un mètre. Cela voulait dire qu'il devrait sortir ses roues alors qu'il serait encore en train de glisser sur la neige. Le risque de basculer et de tomber serait énorme.

Il agrandit encore son image et constata que la terre et le gravier se succédaient sans cesse sur la deuxième partie du parcours. Il aurait à s'ajuster en permanence. Il transmit les images à Jacob et tenta de photographier la jonction entre la piste de terre et le début des rapides. Impossible. Un nuage de particules en suspension avait été créé sur plusieurs mètres de façon à ce que les concurrents ne puissent savoir à l'avance ce qui les attendait.

– Bien reçu, lui précisa son frère, qui venait de voir les photos.

Benjamin s'apprêtait à demander à Jacob de revoir avec lui le système de transformation de sa planche à roulettes en planche à flotter lorsqu'il vit William Lessard passer sa main dans les airs devant lui comme s'il le saluait de loin. Étant donné que ce comportement amical était impossible, Ben comprit rapidement que son concurrent venait de scanner son équipement. Il ne put s'empêcher de sourire.

« Que penses-tu découvrir ? »

Depuis des années, Jacob travaillait à modifier et à perfectionner l'équipement de compétition de Benjamin. Pourtant, les frères Maska passaient haut la main tous les contrôles. Malgré les transformations, jamais un juge n'avait trouvé quelque chose de non conforme à leur reprocher. Il aurait été étonnant qu'un concurrent mette la main sur leurs secrets avec une simple numérisation.

Le regard mauvais que lui lança William fit comprendre à l'adolescent qu'il avait vu juste. Son sourire s'élargit pendant que son principal rival lui tournait le dos, frustré.

Le site de la compétition était noir de monde. Les parents de Ben retrouvèrent leurs fils grâce aux puces de repérage de leurs technocoms.

– Ouf ! Je n'ai jamais vu autant de gens et de médias pour une compétition senior, constata Maïka.

– Il faut dire que le premier prix sort de l'ordinaire, renchérit Edmond. La période d'inscription pour le concours n'est pas terminée et, dans quelques heures, nous connaîtrons déjà l'identité d'un des élus. Ça ne s'est jamais vu.

– Ne te laisse pas distraire par tout ça, mon trésor, conseilla à Benjamin sa mère en balayant la place de sa main.

– Tu seras le plus rapide, fils ! l'encouragea Edmond. Reste concentré et tout ira bien.

Benjamin était à la veille d'être transporté en haut de la montagne avec Jacob. Étant donné qu'une seule personne était admise avec chaque concurrent, ses parents l'attendraient à la ligne d'arrivée.

– Prends bien le temps d'évaluer chaque virage, lui recommanda sa mère, et surtout...

– Amuse-toi ! dirent en chœur les deux frères en même temps que Maïka.

D'aussi loin que Ben pouvait se le rappeler, ses parents n'avaient jamais manqué une compétition, et sa mère lui répétait chaque fois le même message. Maïka éclata de rire et embrassa ses deux fils.

– Je suis très fière de vous ! ajouta-t-elle, même si vous me faites passer pour une vieille radoteuse !

Benjamin se dirigea avec Jacob vers la plateforme qui leur ferait gravir les mille deux cents mètres de la montagne en sept minutes. Lorsqu'il y monta, il perdit pied. L'adolescent tomba de tout son long dans un bruit sourd tandis que son menton rencontrait durement le sol.

– Aïe ! s'écria-t-il pendant que du sang remplissait sa bouche.

Une paire de bottes de compétition se planta devant lui et une main secourable se tendit. Ben la saisit. Il s'y appuya pour se relever en levant les yeux pour voir qui était venu à son aide. Dès que son regard se posa sur le visage de William, celui-ci retira sa main. En équilibre précaire, Ben retomba durement au sol pour une deuxième fois.

– Et il prétend surfer ! lança William Lessard, qui remettait sa main dans la poche de sa combinaison. À mon avis, il a abusé du petit cocktail d'accueil ! Peut-être devrions-nous en glisser un mot aux évaluateurs ?

Les rires fusèrent sur la plateforme pendant que Benjamin se remettait debout par ses propres moyens. Malheureusement, aucune réplique cinglante ne lui vint en tête.

– Laisse-le faire ! lui recommanda Jacob en déposant une main apaisante sur son épaule. Tu dois te concentrer maintenant. Active les supports publicitaires de ta combinaison et enlève ton oreillette traductrice.

Son frère avait raison. Ben s'exécuta. Quelques secondes plus tard, sa veste, recouverte d'une centaine de petits écrans souples, projeta les logos de ses principaux commanditaires. Dans un même temps, il s'isolait d'une grande partie des autres concurrents en retirant son oreillette. À partir de ce moment, les seules conversations qu'il comprendrait seraient celles des gens parlant une des langues qu'il maîtrisait. Cela lui permettrait de se concentrer davantage et diminuerait les tentatives d'intimidation.

– Ta descente est dans onze minutes, lança Jacob en observant l'écran géant qui transmettait les informations pratiques du déroulement de la compétition.

Du haut de la montagne, Benjamin regardait devant lui la piste enneigée. Il ne voyait pas plus loin que le premier tournant du parcours. Depuis maintenant six minutes, un nouveau concurrent s'élançait toutes les soixante secondes. Il était le suivant. Au-dessus de lui, une dizaine de caméras flottaient dans leur bulle de lévitation.

L'adolescent prit une grande inspiration et vida son esprit de tout ce qui n'était pas la course. À la vitesse de l'éclair, il révisa mentalement chaque manœuvre qu'il devrait effectuer sur le parcours difficile qui l'attendait.

Benjamin descendit devant ses yeux ses lunettes double-vision. Dans le coin inférieur droit de ses verres, il pouvait voir ce qui se passait derrière lui grâce à la caméra située sur son casque.

Ses deux bâtons bien serrés dans ses mains, il se mit à glisser sur place d'avant en arrière, prêt à s'élancer. Lorsque le signal retentit, il se donna une puissante poussée vers l'avant. Il prit rapidement de la vitesse. Chaque seconde comptait. Chaque parcelle de terrain gagnée plus vite que ses compétiteurs le rapprochait de la victoire.

Le hasard l'avait placé deux positions devant William. C'était une chance inouïe. Il devait à tout prix garder cette avance.

Dans son casque, il entendait sans cesse la voix de Jacob :

– Dénivellation de trente degrés... Tu atteins quarante kilomètres-heure... Courbe en épingle devant... Serre à droite... Ton niveau d'oxygénation descend. Prends une grande inspiration...

Son frère recevait et traitait à une vitesse phénoménale toutes les informations que lui transmettaient les caméras sur le casque de Ben et les capteurs sous sa planche et sur sa combinaison.

Benjamin vit apparaître devant lui un premier concurrent. Il plia les genoux et rentra les coudes afin de prendre un maximum de vitesse. Il suivit son compétiteur de près jusqu'à la courbe suivante. Puis, il le dépassa en tirant vers l'intérieur du virage.

– À droite ! lui cria Jacob.

Sans réfléchir, l'adolescent se pencha brusquement à droite, au risque d'être déséquilibré. Au même instant, un rayon orangé passa sur sa gauche et alla faire fondre la neige un peu plus loin.

« Un rayon paralysant », comprit-il.

Difficilement détectable par les juges, ce genre de rayon engourdissait un membre du corps humain pendant quelques secondes. Malheureusement, c'était souvent assez pour faire perdre sa concentration à un skirouloi. Les règlements permettaient les contacts physiques entre deux concurrents, mais la violence gratuite était interdite.

Benjamin vit justement la veste du concurrent devenir rouge, signe qu'il venait d'être pris en flagrant délit et qu'il aurait des points de pénalité.

Malgré cela, Ben décida d'actionner un des réacteurs conçus par son frère afin de distancer au plus vite ce participant malhonnête. Dès qu'il le fit, il sentit sa planche l'entraîner violemment vers l'avant. Il grimaça de surprise et contracta ses muscles au maximum. Il se concentra de toutes ses forces pour rester sur sa planche. Jamais il n'aurait pensé que la poussée serait si puissante.

« Quelle idée aussi de tester un nouveau gadget en plein cœur d'une course ! » se sermonna-t-il.

Heureusement, il n'y avait pas de courbe dans cette portion de la piste et l'adolescent se laissa lentement griser par la vitesse.

– Cent kilomètres-heure, le renseigna Jacob.

Benjamin exultait. Son amour de la vitesse était total. C'était ancré dans chaque fibre de son corps. La pensée que cela lui venait peut-être de sa condition de Verrien lui traversa l'esprit.

À peine deux minutes plus tard, il nota le premier changement de piste. La neige allait bientôt faire place au gravier. Il donna une commande vocale pour que les roues couchées sur le dessus de sa planche glissent sous elle. Il calcula précisément son action et ne perdit que quelques kilomètres-heure lorsque les roues touchèrent la neige. Quatre secondes plus tard, il atteignait le gravier.

Soudain, Benjamin vit William Lessard arriver derrière lui. Comment avait-il fait pour le rejoindre si vite ? L'adolescent plia davantage les genoux afin de se donner le plus de vitesse possible.

Peine perdue. En moins de deux, il se retrouva aux côtés de son ennemi. D'un mouvement brusque et rapide, William tendit le bras et donna un coup de bâton sur la cuisse de Ben. La douleur du pic s'enfonçant dans sa chair lui fit venir les larmes aux yeux. Il sentit le sang chaud se répandre entre sa jambe droite et sa combinaison pendant que William reprenait de la vitesse et le distançait.

- 13 -

CATASTROPHE

Jacob ignorait tout de l'agression dont venait d'être victime son frère. Il lui lança :

– Nouvelle modification de la piste dans un demi-mètre. Attention ! La terre se change en boue !

Benjamin devait s'oublier pour le bien de la course. L'essentiel pour l'instant était que sa planche ne s'enlise pas.

– Structure en X, prononça-t-il clairement.

– Bonne idée, lui renvoya Jacob à travers son oreillette.

Sous la planche du sportif, une structure métallique en forme de X qui reliait sa planche à ses roues se déploya. Par ce procédé, Ben augmenta la distance entre sa planche et le sol d'environ quinze centimètres, un peu comme s'il avait chaussé des échasses sur roues. Malheureusement, il avait maintenant beaucoup moins de stabilité et les risques de chute augmentaient.

– Cinquante-sept kilomètres-heure..., l'informa Jacob. Quarante-cinq... quarante...

La pression de Ben augmenta d'un cran pendant que William le distançait de plus en plus. Il devait à tout prix cesser de perdre de la vitesse. Deux concurrents le rejoignirent et le dépassèrent. L'adolescent commença à douter de sa décision d'avoir recours à la structure en X. Peut-être valait-il mieux perdre quelques données plus tard à cause de la boue sur les capteurs de sa planche plutôt que de la vitesse maintenant...

Les pensées du sportif défilaient à une vitesse folle. Dans ce genre de compétition, chaque décision est cruciale. Il prit d'instinct le virage suivant et constata qu'un concurrent était étendu de tout son long dans une mare de boue, le regard hagard. Qu'est-ce que Lessard avait encore fait ? Trois minutes plus tard, il vit le deuxième adversaire qui l'avait dépassé dans une situation semblable.

Les muscles des cuisses de Benjamin commencèrent à brûler en raison de l'effort qu'il devait fournir pour rester sur ses échasses. Le sang qu'il perdait avait trempé son bas et maintenant son pied droit n'était plus aussi stable dans sa chaussure.

– Enfin, les rapides ! soupira-t-il en voyant l'embouchure de la rivière.

Il actionna la modification et le cirage de sa planche. Aussitôt, elle doubla de largeur et de longueur. Le devant s'éleva de quelques centimètres. Le sac-gourde qu'il portait dans son dos commença à se vider pendant qu'il sentait les tuyaux qui longeaient ses hanches et ses jambes se remplir d'eau. Bientôt, de minuscules jets nettoyèrent la boue et la terre accumulées sur sa planche. Des diffuseurs de chaleur firent sécher l'eau et d'autres jets éjectèrent une cire à durcissement rapide.

Il fit se rétracter sa structure en X dès qu'il toucha la surface de l'eau. À ce moment, Benjamin comprit que sa décision de faire tout ce processus en hauteur avait été gagnante. Le cirage était beaucoup plus opaque qu'à l'habitude. Jamais sa planche n'avait glissé si facilement sur l'eau. Il fit remonter les roues à l'intérieur. Confiant, il éleva légèrement la puissance de ses réacteurs officiels et prit de la vitesse, esquivant au passage de nombreux rochers. Un sourire de triomphe apparut sur ses lèvres lorsqu'il distingua à nouveau William.

Son ennemi s'acharnait à bloquer le passage à un autre concurrent et, ce faisant, il avait perdu de la vitesse. Ben s'approcha le plus possible. Il avait l'intention d'utiliser son deuxième réacteur secret pour passer devant William sans que celui-ci parvienne à le freiner. Le concurrent devant lui heurta un rocher et tomba dans la rivière.

Benjamin avait intérêt à être rapide, car il n'aurait que deux minutes et onze secondes pour distancer son ennemi. L'appréhension faisait battre son cœur plus rapidement tandis que les rapides du cours d'eau lui donnaient du fil à retordre. Dès qu'il sentit une accalmie, il s'élança. Le réacteur supplémentaire donna une formidable poussée, mais, cette fois, l'adolescent était prêt. Les muscles contractés, il fila comme une flèche.

Sa manœuvre réussit. Il dépassa William. Il devait maintenant garder son avance, car il savait ce dont William était capable s'il parvenait près de lui. Il zigzagua entre les rochers et finit par apercevoir le fil d'arrivée. Il prit la position la plus aérodynamique qu'il connaissait et se laissa glisser. La victoire était à sa portée.

– Tu y arrives, Ben ! l'encouragea Jacob. Continue !

Les bras levés en signe de victoire, l'adolescent finit sa course. Quelques secondes plus tard, son sourire se figea. Incrédule, il fixait le tableau d'affichage. Il était deuxième. La première place revenait à William !

Bien que Benjamin eût passé le fil d'arrivée le premier, William, qui était parti après lui, avait été plus rapide. L'adolescent eut l'impression que son sang venait de se cimenter. Incapable de bouger, il assimilait difficilement la mauvaise nouvelle.

Benjamin Maska monta sur la deuxième marche du podium extrêmement déçu et fâché. Il n'avait pas gagné sa place pour le concours pour Iskay. Pire encore, si, dans quelques semaines, sa candidature était retenue pour la base d'entraînement, il était certain d'avoir William dans les jambes.

– Gagner en trichant, marmonna-t-il entre ses dents à l'adresse de son ennemi lorsqu'il passa devant lui, il n'y a rien d'honorable là-dedans.

– Blablabla..., rétorqua William. Tu parles pour rien. Avec ce billet d'entrée pour Iskay, je te survivrai d'au moins deux cents ans.

– Encore faut-il que tu réussisses les épreuves...

– J'espère que tu n'as pas de doutes à ce sujet, lança William d'un ton hautain.

Benjamin était à court de répliques et cela le fâcha encore plus. Un des juges de la course marcha vers eux. Le silence se fit lentement dans l'assistance. Cependant, plutôt que de prendre la parole, il vint se placer devant William.

– À la suite d'une plainte que nous avons reçue, nous avons étudié plus attentivement votre parcours et nous avons, fort tristement, décelé deux infractions à la sécurité.

William devint blanc comme un drap et serra les poings de rage. Plein d'espoir, Ben retint son souffle pour entendre la suite.

– Aussi nous voyons-nous dans l'obligation de vous enlever deux points de pénalité, ajouta le juge en pianotant sur son technocom.

Les points furent immédiatement retirés au tableau de pointage. Ce fut suffisant pour modifier les positions sur le podium. Pendant que la foule prenait connaissance des modifications et applaudissait à tout rompre, le juge dit :

– Benjamin Maska, veuillez monter sur la première marche pendant que monsieur William Lessard prend votre place.

L'adolescent n'en revenait pas. Il chercha des yeux son frère, qui lui envoya leur signe de tornade. Était-ce Jacob qui avait porté plainte ?

« Lui ou un autre, pensa-t-il, pourvu que ce tricheur soit puni et que ça lui serve de leçon ! »

Benjamin reçut son prix et évita de regarder William en descendant du podium. Pourquoi envenimer davantage les choses ?

Son compétiteur n'avait toutefois pas dit son dernier mot.

– Je suis certain que tout ça, c'est de la faute de ton stupide frère ! lança-t-il, plein de hargne.

– Il ne t'est pas venu à l'esprit que ce puisse être simplement ta faute ? Si tu avais participé honnêtement, rien de tout cela ne te serait arrivé.

– Tu vas voir ce que j'en ai à faire de ta morale, moi ! Et, cette fois, ce ne sera pas filmé !

William descendit du podium et se dirigea d'un pas vif vers Jacob, qui parlait avec un commanditaire. Benjamin s'élança derrière son ennemi au moment où celui-ci glissait la main dans la poche de sa veste et en ressortait un instrument de la grosseur d'un poing.

L'horreur noua le ventre de Ben. William était capable de tout... peut-être même de tuer Jacob. Subitement, tout se figea autour de lui.

– Nooonnnn ! s'écria-t-il.

Cette fois, il eut pleinement conscience qu'il venait d'arrêter le temps.

Il était en terrain découvert. Cela signifiait que les satellites de Zelfor allaient être en mesure de l'identifier. Combien avait-il de temps pour disparaître ? Les battements de son cœur accélérèrent au fur et à mesure qu'il mesurait la catastrophe qu'il venait de déclencher. Il rejoignit William et lui vola l'objet qu'il tenait. Il le mit dans la poche de sa propre veste et s'approcha de Jacob. Il posa la main sur son bras. Le temps reprit son cours à ce moment et Ben tira son frère vers le podium.

– Benjamin ! Qu'est-ce...

– Viens, ordonna-t-il pendant que William regardait sa main vide avec une expression de totale incrédulité. Je viens de me faire repérer en arrêtant le temps encore une fois. C'est une question de secondes avant que les satellites ne transmettent mon image à Zelfor. On saura qui je suis.

– Partons vite ! s'exclama Jacob, qui se mit à courir à ses côtés.

Le vieux technocom de Ben vibra et un message de son père apparut.

Les deux frères bifurquèrent vers cet endroit. Dès qu'ils y entrèrent, Edmond les tira par le bras dans un coin.

– Mettez tous vos appareils ici.

– Papa, je suis désolé, dit Ben en s'exécutant. Je devais arrêter William. Il voulait attaquer Jacob.

– Tu n'y es pour rien, mon garçon. Tâchons de nous sortir de là maintenant.

Edmond prit trois vestes de bénévoles bien pliées dans un caisson de rangement à côté de lui et en donna une à chacun de ses fils.

– À mon signal, suivez tout le monde pendant quelques mètres. Ensuite, Jacob, tu vas vers le stationnement trois. Ta mère t'y attendra. Benjamin. Prends cette carte de crédits et saute dans la navette pour la base de transit huit. Compris ?

– Compris ! répondirent les deux frères en chœur.

Edmond lança une petite fiole au sol et un nuage de fumée s'en échappa.

– AU FEU ! cria-t-il. SORTEZ D'ICI !!!

Les cris fusèrent et tous les occupants de la tente s'élancèrent vers la sortie. En à peine trois secondes, Benjamin perdit Jacob et son père de vue.

Benjamin suivit les bénévoles sur quelques mètres pendant qu'un mouvement de panique gagnait les gens autour de lui. Il se glissa sous une tente de démonstration du jeu de simulation *Loïk 6* et enleva son dossard. Puis, il appuya sur le bout du collet de sa veste de compétition pour en changer la couleur. Ses mains tremblaient. Était-il possible qu'il se sorte de cette situation sain et sauf ?

Le cœur battant à tout rompre, Benjamin marcha rapidement vers le terrain des navettes et monta à bord de celle qui se rendait à la base de transit numéro huit. Il ne pouvait s'empêcher de jeter de fréquents coups d'œil autour de lui, redoutant de voir apparaître des soldats ou des robots de recherche.

Il mit à peu près dix secondes avant de remarquer son père au fond du véhicule. De la main, celui-ci lui fit signe de rester où il était. L'adolescent respira un peu mieux. Il n'était pas seul.

Arrivé sur la base de transit numéro huit, il suivit Edmond de loin. Ils prirent l'escalier roulant et descendirent de onze niveaux. Ils marchèrent jusqu'à une voiture mauve et s'y engouffrèrent. D'une parole, son père fit démarrer le moteur. Puis, il activa trois sonars et donna des coordonnées, longitude et latitude, à l'ordinateur de la voiture. Dès qu'ils furent en route, Edmond se tourna vers son fils.

– Voici la situation... Malgré tous les scénarios auxquels nous avons pensé, nous n'avons pas prévu que nous aurions à fuir deux fois de suite en si peu de temps. De plus, depuis que tu as arrêté le temps vendredi dernier et que Zhara a découvert la double identité d'Henri, ses agents sont sur un pied d'alerte. On peut donc s'attendre à ce que la compagnie réagisse très rapidement. Nous devons nous rendre chez Zachary. C'est ta meilleure chance de survie. Je vais utiliser la conduite manuelle et y aller en ligne droite. Je ne te cache pas que c'est un très gros risque, mais je ne vois pas d'autres options.

– D'accord ! Je suis prêt !

Edmond fixa intensément le visage de son fils comme s'il tentait d'en graver les traits dans sa mémoire.

– N'oublie jamais qui tu es, lui dit-il lentement. Tu es mon fils ! Ma fierté ! Tu es Benjamin Maska et, en une semaine, tu as sauvé la vie de tes parents et celle de ton frère.

Puis, d'une voix autoritaire, il ajouta :

– Ne refais jamais ça !

- 14 -

ALERTE

Benjamin balayait sans cesse l'horizon du regard. Il était extrêmement tendu et craignait de voir apparaître une patrouille de Zelfor. Que se passerait-il alors ? Servirait-il de cobaye pour des tests en laboratoire ? De toutes les pensées qui se succédaient sans relâche dans son esprit, l'une finit par retenir son attention.

– Si je suis recherché à ce point, prononça-t-il lentement, et si vous teniez tant à cacher mon existence, pourquoi m'avez-vous laissé faire toutes ces compétitions de skiroulo ?

Edmond eut un sourire en coin comme s'il venait de faire un bon coup.

– Premièrement, parce que le gamin que Zelfor recherchait était justement un enfant que l'on cachait. Nous avons misé sur le fait que jamais on ne penserait que nous puissions ainsi t'exposer au grand jour. Selon nous, c'était ta meilleure protection. Ensuite, parce que faire du sport te permettait de décharger régulièrement une partie de ton énergie et de ton stress. Cela te gardait en meilleure santé mentale, donc moins sujet à utiliser involontairement ton pouvoir sur le temps. La forêt s'est chargée du reste, ajouta son père. Les séjours que tu faisais chez Zachary te permettaient de faire travailler ton esprit d'analyse et ton goût pour les découvertes. Les défis que grand-père te proposait occupaient ton esprit aussi sûrement que son style de vie stimulait tes muscles.

« Effectivement », pensa l'adolescent, qui se rappelait les nombreuses énigmes que Zachary lui soumettait chaque été.

– Mais, avant mes compétitions, insista Benjamin, j'avais toujours des analyses sanguines à passer.

– En effet. Nous avons d'ailleurs eu chaud quelques fois. La personne chargée de détruire tes fioles pour les remplacer par d'autres n'était pas toujours sélectionnée pour faire partie de l'équipe médicale des compétitions auxquelles tu participais. Au final pourtant, tout est toujours rentré dans l'ordre. Ou tu avais un empêchement et tu ne participais pas à la compétition ou nous arrivions à trouver la bonne personne pour nous aider.

– Et maintenant ? demanda-t-il d'une voix anxieuse.

– Maintenant, on attend et on croise les doigts, répondit Edmond. Il est certain que des images ont été prises lors de l'incident et que les gens de Zelfor savent qui tu es. Nous devons changer de vie. Maïka et Jacob sont probablement déjà en route pour la France. Lorsque nous les reverrons, ils seront physiquement métamorphosés.

Incrédule, Benjamin observa son père pour voir s'il était sérieux. Concentré sur son vol, Edmond ne montrait aucun signe d'humour.

« Ils seront physiquement métamorphosés !!! »

Que voulait dire son père ? Allait-on refaire leur visage ? Lorsqu'il les reverrait, les reconnaîtrait-il ? Sûrement pas. Après tout, c'était le but d'une métamorphose. Benjamin n'avait jamais imaginé que les choses pourraient aller si loin. Soudain, l'organisation dont faisaient partie ses parents lui sembla beaucoup plus impressionnante et, du même coup, Zhara et son entreprise lui parurent beaucoup plus inquiétantes et dangereuses. Il aurait tellement aimé en parler avec Tristan. Oh non ! Tristan !

– Tristan va s'énerver quand il va voir que j'ai encore disparu, mentionna-t-il à son père. La dernière fois, il voulait consulter les listes des hôpitaux pour voir si nous n'avions pas eu un accident.

– Que lui as-tu dit ?

– Que nous étions allés chez grand-père.

L'air grave, Edmond fixa son fils dans les yeux et parla très lentement.

– Benjamin, quels renseignements as-tu donnés à Tristan concernant Zachary ?

– Il sait juste qu'il habite loin et qu'il n'y a aucune façon de me joindre quand je suis là-bas.

– En es-tu certain ?

– Oui. Et puis, j'ai confiance en Tristan.

– Tu ne connais pas Zhara.

– Crois-tu que Tristan est en danger ? paniqua Ben.

– Je... Écoute... Tu...

Edmond soupira.

– Je l'ignore. Zhara est dangereuse. Elle fera tout pour te retrouver. Si, comme tu le dis, Tristan ne sait vraiment rien, il est probablement en sécurité.

– Mais je ne pourrai plus le revoir.

– Ni lui parler, fils.

L'adolescent resta silencieux. Que pouvait-on dire quand notre monde s'effondrait ? Ne plus parler à son meilleur ami. Jamais ! C'était impossible. Il devait y avoir une solution.

Edmond posa une main apaisante sur le bras de Benjamin.

– Je suis désolé. Nous espérions tant que tu n'aurais pas à vivre ça.

Une heure de vol plus tard, Edmond amorça sa descente vers la limite sud des terres de Zachary. Dès qu'ils furent sortis du véhicule, Benjamin et lui entreprirent une marche d'une heure et demie dans les bois. Après qu'ils eurent fait quelques pas, leurs vêtements s'adaptèrent à la chaude température extérieure. Ainsi, leur corps resta tempéré. L'adolescent gardait le silence. Son père aussi. Lors de leur première fuite, Ben ne savait pas ce qui se passait. Mais, cette fois, il prenait la mesure des risques que toute sa famille courait. Il en serrait les dents d'appréhension. La peur se glissait dans chacune de ses veines et engourdissait son esprit.

Enfin, il vit les enclos d'animaux aux barrières électrifiées qui jouxtaient la maison de Zachary, sous le couvert des arbres. Amigo courait vers lui. Cette scène le rassura. Ils étaient arrivés sans encombre.

Cela voulait dire qu'ils avaient été plus rapides ou plus futés que les gens de Zelfor. Ils étaient maintenant en sécurité.

En marchant, Ben caressa Amigo, qui finit par se calmer un peu. Ils entrèrent avec Edmond dans la cuisine, où une bonne odeur de pain frais flottait. Des tartes refroidissaient sur le comptoir aux côtés d'un gigot d'agneau grillé à la perfection. Sachant qu'il n'y avait pas de robot dans la maison, Ben s'exclama :

– Wow ! Grand-père, tu t'es surpassé !

Ariane sortit du garde-manger, une miche de pain entre les mains.

– Merci ! dit-elle.

Benjamin sursauta. Comment avait-il pu oublier sa présence ?

– Grand-père devrait rentrer dans quelques minutes, les informa-t-elle. Que nous vaut l'honneur de votre visite ?

– De quel côté est-il parti ? demanda Edmond sans prendre la peine de répondre à la question d'Ariane.

– Vers l'enclos des moutons.

Sans attendre, le père de Ben s'élança vers l'extérieur. Ariane fronça les sourcils, déposa sa miche et plongea son regard dans celui de l'adolescent. Visiblement, elle exigeait une explication.

– J'ai arrêté le temps, s'entendit-il avouer.

– Encore !!!

– Je ne l'ai pas fait exprès, tu sauras !

Benjamin regarda autour de lui. Il ne voyait qu'Ariane, qui le fixait. Lui qui s'était toujours senti chez lui dans la maison de son grand-père avait soudain l'impression d'y être un étranger.

– Je vais les rejoindre, marmonna-t-il, mal à l'aise.

– Dis-leur que le repas sera prêt dans vingt minutes.

– D'accord.

En marchant, le regard de Ben glissa sur un tronçon d'arbre d'un mètre de diamètre, placé à la droite du jardin. Au sol, de grosses bûches étaient entassées pêle-mêle. Prendre la hache et les couper en plus petits morceaux afin qu'ils entrent dans le foyer de son grand-père faisait toujours partie de ses tâches lorsqu'il venait ici. Il s'était si souvent demandé pourquoi son grand-père s'obstinait à vouloir vivre comme au dix-neuvième siècle. Il le savait maintenant. Pour lui ! Pour n'être repérable par personne. Pour lui offrir un abri parfait.

Il laissa ses pensées vagabonder. Il avait toujours senti qu'il n'était pas à sa place dans son époque. Chaque fois qu'il était venu chez son grand-père et qu'il avait dû fendre du bois, parcourir la forêt, bêcher le jardin, cueillir les fruits et les légumes, traire la chèvre, réparer la toiture et effectuer combien d'autres tâches, il avait senti qu'il appartenait à un monde plus simple, moins informatisé. Peut-être était-ce un des buts que son grand-père avait recherchés ? Lui permettre de connaître deux styles de vie et de trouver son équilibre entre eux.

Puis, ses pensées dérivèrent vers sa passion : le skiroulo. La réalité le rattrapa soudain et le frappa de plein fouet. Il était recherché ! Il ne pourrait peut-être plus jamais pratiquer ce sport. Benjamin eut l'impression qu'on venait de lui donner un grand coup dans l'estomac. Le skiroulo, c'était une grande partie de sa vie. C'était ce qu'il voulait faire plus tard. Il ne pouvait pas imaginer de choisir un autre métier.

Il rattrapa son père et son grand-père. En voyant leurs mines inquiètes, l'adolescent décida de prendre sur lui et de ne pas les déranger. Il tint bon pendant quinze minutes. Puis, trop inquiet lui-même, il demanda :

– Quand pensez-vous que je pourrai à nouveau faire du skiroulo ?

Dans un même souffle, il voulut leur montrer qu'il n'était pas inconscient et qu'il évaluait bien les dangers de sa situation actuelle. Il estima donc la limite de temps la plus éloignée qu'il le pouvait.

– D'ici un an ?

– Benjamin. Zelfor t'a identifié, expliqua calmement Edmond. Ils t'attraperont dès que tu pointeras ton nez sur un site de compétition.

– Mais je peux changer d'apparence comme Jacob.

– Ils te reconnaîtront à ta manière de skier ou leurs ordinateurs le feront pour eux, dit Zachary. À partir de maintenant, bien des choses vont changer pour toi. Tu dois faire une croix sur ton sport.

L'adolescent avala sa salive de travers et se mit à tousser. Lorsqu'il reprit son souffle, il ne prononça plus un mot. Le skiroulo était la goutte qui faisait déborder le vase. Plus d'identité, son frère et sa mère partis, plus de maison, plus de meilleur ami, plus de sport... C'était trop !

Malgré les odeurs alléchantes du repas, Benjamin toucha à peine à son assiette. Il se retira dans sa chambre très tôt. Sa vie s'effondrait !

Une heure plus tard, couché sur son lit, il observait le plafond de sa chambre. Soudain, quelqu'un frappa à la porte. Contrarié, Benjamin marmonna pour lui-même :

– Est-ce si difficile de comprendre que je veux avoir la paix !

Puis, en soupirant, il lança à contrecœur :

– Entrez !

Ariane se glissa timidement dans la chambre. Elle tenait quelque chose d'enveloppé dans un linge blanc. Une bonne odeur de pain frais parvint aux narines de Ben.

– Pour quand tu auras faim, dit-elle en déposant son paquet sur le bureau.

Elle fit mine de repartir, mais s'arrêta sur le seuil de la porte.

– Je suis désolée que tu ne puisses plus pratiquer ton sport. Peut-être qu'avec le temps, tu en trouveras un autre que tu aimeras autant.

– Tu ne connais vraiment rien à rien, toi, lui lança Benjamin, de mauvaise humeur.

– Peut-être aussi resteras-tu ici, maintenant que tu ne peux pas retourner chez toi, ajouta-t-elle sans s'émouvoir de la méchanceté de l'adolescent. Ce serait bien, d'avoir quelqu'un de mon âge dans cette maison.

L'adolescente rougit et quitta la pièce en refermant la porte. Insensible à cet aveu de solitude, Benjamin donna un coup de poing dans son oreiller et se tourna vers le mur.

« Je ne veux pas changer de vie ! ragea-t-il. C'est la mienne que je veux récupérer ! »

L'aube se levait. Benjamin ouvrit les yeux dans la chambre qu'il occupait chez son grand-père. Quelqu'un venait de frapper trois coups à sa porte pour le réveiller et poursuivait maintenant son chemin. L'adolescent reconnut le pas de son père. Repoussant les couvertures, il observa les murs verts avec leurs tablettes chargées de livres en papier et d'objets hétéroclites. Il était surpris de constater qu'il avait finalement réussi à dormir.

Il devait être environ cinq heures du matin. De quoi serait faite sa journée ? La pensée qu'il serait après tout peut-être intéressant de rester ici avec ses parents et Jacob lui traversa l'esprit.

Au même moment, une alarme au son strident retentit dans la maison. Benjamin entendit le pas de course de son père dans le corridor. Il n'eut que le temps de se lever avant que la porte ne s'ouvre brusquement.

– Change-toi, mon garçon, et ramasse tes choses, ordonna Edmond. Tu pars avec ton grand-père dans deux minutes.

– Que se passe-t-il ?

– Ils nous ont retrouvés, répondit son père en poussant le lit de Ben loin du mur.

- 15 -

SACRIFICE

Edmond ouvrit une trappe dans le plancher que son fils n'avait jamais vue.

– Nous avons environ trente minutes avant qu'ils ne soient ici. Tu dois te sauver, mais avant je dois te parler d'un petit détail que nous avons omis de te dire, avoua Edmond. Nathan n'a pas détruit toutes ses recherches. Il ne le pouvait pas, c'était une trop grosse découverte. Il les a cachées. Or un homme en qui il avait confiance l'a su. Il a utilisé ces informations pour se transporter dans le futur et il a atterri en 2120. Il a été capturé et a révélé au père de Zhara l'existence de ces documents. Depuis, ces données sont recherchées avec acharnement.

Benjamin sentait la nervosité de son père et un sentiment de panique commença à lui nouer l'estomac lorsqu'il entendit cette déclaration. Il s'agenouilla près d'Edmond, qui retirait un sac à dos brun du plancher.

– Les cosantays ont toujours eu pour mission de cacher et de protéger les formules scientifiques de Nathan, continua Edmond. Il n'y a qu'une personne qui sache où elles sont... et cette personne vit complètement retirée du monde depuis très longtemps.

– Grand-père...

– Exactement. Zhara cherche cet endroit depuis des années. Malheureusement, elle vient de le trouver. Il ne lui faudra pas beaucoup de temps pour le deviner. Ariane et toi devez récupérer ces données avant elle et les cacher ailleurs.

– Où sont-elles ?

– À quelques kilomètres d'ici... Ton grand-père est le seul à connaître l'endroit exact et tu pars avec lui. Voici un sac de survie. À l'intérieur, tu y trouveras tout ce dont tu as besoin pour passer environ une semaine dans le bois.

L'adolescent se releva. Il fit rapidement le tour de la pièce des yeux et attrapa ses deux livres de papier préférés sur son étagère. Qui sait s'il reviendrait ? Il les glissa dans le sac. D'une pression du doigt, il changea ensuite la couleur de ses vêtements pour mieux se fondre dans les bois. Puis, il suivit son père vers la porte arrière de la maison. Au moment où il posa le pied à l'extérieur, il vit son grand-père venir vers eux. Il avait une corde jaune dans une main et un collier rouge dans l'autre. Ben aurait reconnu le collier d'Amigo n'importe où. Pourquoi son grand-père le lui avait-il enlevé ? Il leva les yeux vers lui et constata son air affligé.

– Je ne pouvais pas courir le risque qu'il les conduise à nous, expliqua Zachary à son fils.

– Je comprends, prononça Edmond.

– Pas moi ! lança derrière lui Ariane avec colère.

Elle venait d'arriver, vêtue d'un pantalon brun et d'un chandail à manches longues. De grosses larmes coulaient sur ses joues. Zachary, le regard attristé, se dirigea vers la jeune fille et la prit dans ses bras.

– Pardonne-moi, dit-il. Je n'avais pas le choix.

Leur réaction fit comprendre à Ben que son grand-père avait enlevé la vie à son chien pour qu'il ne flaire pas leur piste dans les bois. Sa gorge se serra comme si elle était prise dans un étau et ses yeux se remplirent de larmes.

Edmond déposa un sac semblable à celui de Ben aux pieds de Zachary. Puis, il prit son fils par le bras et l'entraîna un peu plus loin.

– Maintenant, tu m'écoutes attentivement.

Benjamin sentit que le moment était grave. Il ravala sa peine et tenta de se concentrer.

– Tu ne t'occupes plus de moi. Tu ne penses qu'à te sauver et à rester libre. Si tu es séparé de ton grand-père et d'Ariane, tu trouveras dans ton sac toutes les informations nécessaires pour parvenir chez des gens qui pourront t'aider. En aucun cas, tu ne reviens ici ou tu ne retournes chez nous.

Ben hocha la tête de haut en bas. Edmond serra encore plus fort les bras de son fils.

– Si nous le pouvons, nous te retrouverons. L'inverse n'est pas une possibilité que tu peux envisager. Me comprends-tu bien ? Jamais tu ne devras partir à notre recherche ou à notre secours !!!

L'adolescent sentit la boule qui avait commencé à se former dans sa gorge grossir et descendre vers sa poitrine. Sa respiration se fit saccadée et il ne put que hocher la tête à nouveau.

– Je t'aime, mon fils. Je suis extrêmement fier d'avoir eu l'honneur de t'élever. Poursuis ta route en restant fidèle à tes valeurs.

Sur ces paroles, Edmond serra Ben dans ses bras de toutes ses forces. L'adolescent respira l'odeur de son père une dernière fois et suivit Zachary et Ariane, qui s'éloignaient déjà au pas de course. Ils cheminèrent en silence pendant près d'un kilomètre avant de s'arrêter devant un arbre.

– Déchaussez-vous vite, leur ordonna Zachary.

Benjamin s'exécuta pendant que son grand-père glissait le bras dans le creux d'un arbre. Il en retira un sac duquel il sortit trois paires d'espadrilles. L'adolescent écarquilla les yeux de surprise.

– C'est le dernier modèle Dragon 311, lui révéla son aïeul. Ces espadrilles fonctionnent par impulsions mécaniques. Elles vont tripler tous les efforts de vos muscles. Chaque pas vous portera plus loin et plus vite. Vous allez devoir vous y habituer rapidement, car nos poursuivants arriveront sur nous bientôt.

Ben glissa ses pieds dans les espadrilles trop grandes pour lui. Aussitôt, elles s'adaptèrent à sa pointure et il sentit comme un voile invisible se déposer sur ses mollets.

– Où allons-nous ? demanda Ariane.

– Dans la montagne, répondit Zachary. Par contre, nous devons brouiller les pistes au maximum avant d'y parvenir. L'avantage d'une réserve faunique, c'est qu'aucun appareil ne peut la survoler.

« C'est au moins ça de pris », se dit Benjamin, qui savait d'expérience qu'il leur faudrait environ deux jours pour atteindre le pied de la montagne.

Zachary partit au pas de course, suivi de près par Ariane. Dès les premiers pas, Ben eut l'impression que le champ gravitationnel de la Terre venait d'être modifié. Chaque fois qu'il posait le pied au sol, c'était un peu comme s'il était sur un trampoline. Il faillit tomber à quelques reprises au cours des premiers mètres, mais se reprit *in extremis* chaque fois.

L'adolescent aimait les défis physiques. Celui-là lui permettrait de centrer son attention sur autre chose que sa peur.

Trente minutes après le déclenchement de l'alarme, ils arrivèrent à la clairière verte. Zachary s'arrêta. Habituellement, Ben mettait une heure à parcourir le trajet qu'ils avaient cette fois fait en douze minutes.

– Ces chaussures sont fantastiques, s'extasia l'adolescent en admirant ses pieds.

Soudain, le bruit d'une immense explosion les fit sursauter. Le cœur battant, Benjamin fronça les sourcils. La déflagration avait eu lieu dans la forêt. Regardant de tous les côtés, il chercha des yeux un indice pouvant lui indiquer ce qui s'était passé. Il finit par apercevoir au sud un immense nuage noir qui s'élevait vers le ciel.

– Déjà ! commenta simplement Zachary.

Ben comprit que c'était la maison de son grand-père qui venait de voler en éclats. Ses yeux s'agrandirent d'horreur lorsqu'une petite voix dans sa tête lui rappela que son père devait veiller sur les lieux.

– PAPA ! cria-t-il en prenant son élan pour parcourir en sens inverse le chemin qu'il venait de faire.

Il fut retenu par la poigne de fer de son aïeul. Zachary noua ses deux bras autour du torse de son petit-fils. Sans le lâcher, il lui expliqua qu'il y avait de très fortes chances que cette explosion ait été produite par Edmond lui-même.

– Il a pour tâche de retenir nos poursuivants par tous les moyens possibles, le plus longtemps qu'il le peut. S'il a dû faire sauter la maison, c'est qu'ils sont nombreux ou très forts.

– Mais...

– Il n’y a pas de « mais » ! Je ne serais pas surpris que nous voyions arriver sous peu des androïdes de guerre. Dépêchons-nous !

Des androïdes de guerre ! Ben avait déjà entendu parler de ces robots à l’apparence humaine capables d’analyser des situations extrêmement complexes. Lorsqu’ils avaient une mission, ils la remplissaient ! Ils ne réagissaient pas au gaz, aux bactéries ni aux variations de température. Ils pouvaient travailler autant de jour que de nuit et n’avaient jamais besoin de dormir ni de manger. Des soldats parfaits !

Benjamin courait maintenant aussi vite qu’il était possible de le faire au milieu d’une forêt. Ariane suivait sans trop de difficulté. Visiblement, elle avait été soumise au même genre de discipline que lui. Son grand-père se dirigeait vers le nord-ouest. Au bout d’une heure, Zachary s’arrêta.

Ben en profita immédiatement pour tenter de se rassurer.

– Grand-père ? Est-ce que papa ?...

Les mots ne sortirent pas de sa bouche.

– Nous aurons les réponses plus tard, Ben. Chacun de nous doit poursuivre sa mission. La tienne est de te mettre à l'abri.

Il fit signe aux deux adolescents de se placer derrière lui. Il dégagea un appareil caché sous un amoncellement de terre et de mousse artificielle.

– Qu'est-ce que c'est ? demanda Ariane.

– Je mets en fonction un sonar chargé de repérer le métal dans un rayon de cinq cents mètres, expliqua Zachary. Une alarme se déclenchera lorsqu'un androïde passera par là et une bombe électromagnétique explosera. Tous les androïdes qui n'ont pas de protection spéciale contre cela seront automatiquement hors d'état de nuire.

– Et les autres ? Et les humains ? s'enquit Benjamin en regardant nerveusement les arbres autour de lui.

– On éliminera nos adversaires les uns après les autres ou par petits groupes. Si on agit trop rapidement ou si on les attaque directement, ils appelleront des renforts. Ce n'est pas ce que nous voulons. Il nous faut gagner du temps au maximum afin de parvenir à vous mettre à l'abri.

Ariane affichait un air concentré comme si elle était en mission secrète. Son assurance irrita Ben.

Zachary poussa une série de boutons, recouvrit à nouveau la machine, se remit debout et reprit sa course, toujours vers le nord-ouest.

Impossible de savoir si le piège allait fonctionner. Au bout d'un moment, l'adolescent sentit les muscles de ses jambes rechigner. Heureusement, ils arrivaient à la rivière.

– Activez le système hydrofuge de vos sacs, les enfants. Nous traversons ici.

– Ici ? répéta Ben. C'est l'endroit le plus large et le plus profond de la rivière !

Il lui faudrait au moins une demi-heure pour parvenir de l'autre côté et il serait vulnérable durant tout ce temps.

– Je ne t'ai pas enseigné à nager pendant tout un été pour rien, mon garçon, lui rappela Zachary. Au-delà du fait que nous ne sommes pas facilement repérables, l'avantage de ne transporter aucun matériel électronique avec nous est que nous sommes libres de nos mouvements. Nos poursuivants ne pourront pas se permettre de traverser ici. Ils n'auront pas le choix de remonter le courant jusqu'à la traverse de pierres. Nous sauverons un temps précieux.

Une nouvelle explosion retentit.

– Vite ! Nous n'avons plus un instant à perdre !

Benjamin sentait la nervosité de son grand-père derrière le masque d'assurance qu'il présentait depuis le début de leur fuite. Il est vrai que, même avec leurs nouvelles espadrilles, la montagne était encore à au moins une journée de course s'ils s'y rendaient en ligne droite.

Il s'empressa donc de retirer ses précieuses chaussures et de les ranger dans son sac. Il garda toutefois ses vêtements, qui le protégeraient de la température froide de l'eau. Il se jeta ensuite dans la rivière. Ses vêtements s'ajustèrent rapidement et gardèrent son corps au chaud. Il entreprit de fendre les flots à la brasse. Au milieu de la rivière, il sentit la fatigue envahir les muscles de ses bras. À ses côtés, son grand-père et Ariane poursuivaient sans relâche leur nage. Leurs efforts motivèrent l'adolescent à maintenir le rythme. Il se mit en mode entraînement.

« Un bras devant l'autre... un bras devant l'autre... un bras devant l'autre... », se répétait-il sans cesse.

Quinze minutes plus tard, la berge n'était plus qu'à quelques mètres. Benjamin fut le premier à l'atteindre. Dès que ses pieds touchèrent le fond de la rivière, il se mit debout et regarda derrière lui. Ariane et Zachary, légèrement plus à droite, n'étaient plus très loin. Ben sortit de l'eau en marchant et fit quelques pas sur la rive dans leur direction. Il se retrouva entouré de hautes herbes. À cet endroit, le sol pénétrait dans la rivière avec une pente beaucoup plus douce. Ses compagnons auraient à nager quelques brasses de plus. L'adolescent avança prudemment dans l'eau jusqu'à mi-mollet. Lorsque les genoux d'Ariane touchèrent le sol, il lui tendit la main pour l'aider à se relever. Au moment où il se pencha, un projectile frôla le dessus de son épaule gauche et déchira son chandail. Plutôt que de sortir de l'eau, Ariane tira de toutes ses forces sur la main de Ben, qui bascula la tête la première dans l'eau. Un second projectile passa au-dessus de lui.

Rapidement, Ariane et lui rampèrent jusque dans les hautes herbes, où ils ne bougèrent plus. Zachary avait fait de même un peu plus loin. Caché par la végétation, l'adolescent jeta un œil sur la rive opposée et vit des soldats courir vers l'amont de la rivière.

– Grand-père ? appela Ariane, inquiète.

Les herbes bougèrent sur leur droite et Zachary apparut.

– Venez, leur ordonna-t-il en se dirigeant vers la forêt.

Dès qu'ils furent à l'abri des arbres, Zachary reprit la parole.

– Vous devez vous sauver. Vous allez vous rendre au marais défendu. Là, Benjamin, tu sortiras les instructions que j'ai laissées dans la pochette avant de ton sac et tu les suivras minutieusement. Avec cela, vous devriez parvenir à éliminer plusieurs de vos poursuivants. Ensuite, vous vous débrouillerez pour atteindre la montagne le plus vite possible. Au pied de celle-ci, suivez les instructions qui sont dans vos sacs.

– Et toi, grand-père ? demanda Ariane, d'une voix paniquée.

– Je suis désolé, ma fleur des champs. J'aurais voulu vous accompagner, mais ils sont trop rapides. Mon rôle est ici. Je vais retarder vos poursuivants le plus longtemps possible. Si je le peux, je vous débarrasserai de quelques-uns d'entre eux. N'oubliez pas qu'ils ne connaissent pas ton existence, Ariane. Tu n'es fichée nulle part. Ce peut être un bel atout. Écoutez-moi bien ! Vous devez rester libres ! L'un de vous doit absolument partir pour Iskay ! C'est le seul moyen de sauver l'humanité d'une dictatrice. Je compte sur vous !

Ben ne savait plus que faire. Son cœur menaçait d'éclater en mille morceaux. Il ne pouvait pas se résoudre à abandonner son grand-père, qu'il aimait de tout son cœur. Visiblement, Ariane non plus. Zachary perçut leur hésitation.

– Vous ne m'avez jamais désobéi ni l'un ni l'autre... même si vous en avez souvent eu l'intention, dit Zachary en plongeant son regard tour à tour dans leurs yeux. Ce n'est pas aujourd'hui que je vous permettrai de commencer. Benjamin, c'est ta plus grande compétition que tu commences aujourd'hui et tu es un gagnant. Ne l'oublie jamais et rends-toi au bout de la piste.

L'adolescent hocha la tête en signe d'assentiment. Il ouvrit son sac et remit ses espadrilles.

– Ariane, prononça Zachary d'une voix douce en touchant la joue de l'adolescente. Je t'aime, ma fille. Tu dois être forte.

Ariane, secouée de sanglots, se décida à imiter Ben et à mettre ses souliers de course.

– Faites vite, mes enfants !

Benjamin lança un dernier regard vers cet homme exceptionnel et tendit la main à Ariane, qui ne semblait plus avoir de volonté. Dès qu'il sentit sa paume dans la sienne, il serra les doigts pour l'encourager à le suivre. Puis, il se mit à courir le plus vite qu'il le pouvait dans la direction qu'il espérait être la bonne.

- 16 -

LE MARAIS DÉFENDU

Après environ cinq kilomètres, Ariane exigea qu'ils s'arrêtent pour reprendre leur souffle. Benjamin considérait qu'ils avaient progressé rapidement. Était-ce suffisant ?

– La discrétion en forêt paye davantage que la vitesse, lui rappela-t-elle.

Il approuva de la tête. Il avait si souvent entendu Zachary prononcer ces paroles. Il est vrai qu'il ne leur servait à rien de s'enfuir si vite si les soldats-androïdes pouvaient suivre leurs traces d'un simple coup d'œil.

L'adolescent observa les alentours en réfléchissant. Lorsqu'il courait avec ses espadrilles, ses pieds appuyaient lourdement sur les feuilles, les branches et la boue et laissaient des traces visuelles. S'il enlevait ses espadrilles, il laisserait des traces thermiques. La chaleur de son corps se déposerait sur le sol et, à moins que les soldats soient très loin, elle n'aurait pas le temps de s'effacer. Ben ne connaissait pas beaucoup cette région des terres de Zachary. Il ne savait pas si un ruisseau coulait à proximité pour qu'ils puissent marcher dedans et ainsi ne laisser aucune trace. Il posa la question à Ariane.

– Je ne suis pas souvent venue par ici, avoua-t-elle. Grand-père me l'interdisait. Mais peut-être que nos sacs contiennent une carte.

Tremblants à l'idée de s'arrêter trop longtemps, les deux adolescents s'agenouillèrent au pied d'un arbre dont le tronc pouvait servir à les cacher. Là, ils ouvrirent leur sac pour en faire un rapide inventaire.

Benjamin sortit du sien les deux livres qu'il y avait placés quelques heures plus tôt. Il constata que tout le reste était bien emballé dans des enveloppes individuelles, hermétiques et transparentes.

Il sortit des sacs de nourriture séchée avant de tomber sur ce qui semblait des vêtements. Les deux paquets n'étaient pas plus gros que la paume de sa main. Il retira également de sa besace un couteau, une gourde de survie vide, le sifflet à ours de son grand-père, une trousse de premiers soins, trois balles chauffantes ainsi qu'un dernier sac contenant, comme il l'espérait, une carte. À sa grande joie, il découvrit qu'elle était accompagnée d'une boussole, d'un crayon et d'une paire de lunettes-jumelles de vision nocturne. Il partagea sa découverte avec Ariane. Elle brandit un sac identique.

Benjamin remit la nourriture et les livres à leur place et ouvrit le premier sac de vêtements. Il contenait un chandail léger à manches longues et un pantalon de toile.

– Je vais me changer, annonça-t-il en enlevant ses vêtements encore humides de l'eau de la rivière.

Quand il retira sa veste de compétition, quelque chose tomba au sol. Ariane le ramassa.

– Que fais-tu avec un somnichoc ? demanda-t-elle en tournant l'objet entre ses doigts.

– Un quoi ?

– Un somnichoc. Ça sert à envoyer une petite dose de somnifère à un animal pour l'endormir une dizaine de minutes. Grand-père en a déjà utilisé un sur un lynx qui rôdait autour de la maison.

L'adolescent se revit en train d'arracher cet objet des mains de William. Il comprit avec horreur qu'il s'était trompé. Son rival n'avait jamais eu l'intention de tuer Jacob. Il voulait juste lui faire peur. William avait sans doute projeté d'utiliser le somnichoc pendant la compétition et n'en avait pas eu l'occasion.

« Et moi, s'aperçut-il, j'ai arrêté le temps pour ça ! »

Un énorme sentiment de culpabilité l'envahit. Si, à cause de sa réaction trop rapide, ses parents, Jacob ou son grand-père étaient blessés ou mouraient, jamais il ne se le pardonnerait.

– C'est une longue histoire, répondit-il à Ariane qui le fixait encore.

Ne voulant pas lui en raconter les détails pour l'instant, il détourna la conversation vers Zachary.

– Crois-tu que grand-père va bien ? lui demanda-t-il.

– Tu le connais, le rassura Ariane. Je suis certaine qu'il trouvera un moyen de nous rejoindre à la montagne.

– Pourvu que mon père y arrive aussi.

Benjamin ne s'était jamais senti aussi désorienté de toute sa vie. Il rangea le somnichoc dans son sac à dos et continua à enfiler les vêtements secs. En observant ses bras, l'adolescent remarqua que ses vêtements avaient pris la teinte et les nuances exactes de la végétation qui l'entourait.

– Wow ! s'exclama Ariane. Ces vêtements sont incroyables.

Ben ouvrit le second sac et découvrit des bas identiques à ses vêtements, c'est-à-dire de camouflage ET isothermes. Tout ça devait valoir une petite fortune.

– Avec ça, lança-t-il, je pourrai avancer sans laisser de traces. Il suffira que je ne touche à rien. Regarde si tu as les mêmes.

Ariane avait déjà commencé à ouvrir ses sacs de vêtements et se changeait rapidement. Ben mit ses espadrilles, ses vêtements mouillés et ses vieux bas dans son sac à dos. Il se remit ensuite debout. Dès qu'Ariane eut enfilé ses bas à son tour, ils repartirent.

Après quelques pas, les adolescents s'aperçurent que, malgré leurs super bas, éviter de laisser des traces thermiques serait plus difficile qu'ils ne l'avaient envisagé. Des branches et du feuillage s'accrochaient sans cesse dans leurs cheveux ou effleuraient leurs mains.

« Où sont les soldats ? » ne cessait de se demander le skirouloi en tendant l'oreille pour entendre le moindre craquement suspect.

Des images de son grand-père en train de se battre avec eux affluaient à son esprit. Il secoua la tête pour les chasser. Il frotta plusieurs fois le pouce sur son tatouage de tornade. Il devait rester concentré. Malgré la peur d'être rattrapé, il retrouva les gestes sûrs qu'il avait posés mille fois au cours des dernières années, passées à arpenter les bois avec son grand-père. Visiblement,

Ariane était aussi habile que lui. De plus, ils disposaient maintenant d'un avantage sur leurs poursuivants. Avec leur carte, ils savaient exactement où ils allaient.

Au bout de quatre heures de marche, ils trouvèrent un petit ruisseau où ils purent se réhydrater et remplir leurs gourdes.

Il leur fallut deux autres heures pour arriver au marais défendu. Celui-ci était presque entièrement envahi de roseaux. Étrangement, il était aussi entouré d'une haute clôture qui s'enfonçait dans le sol.

Les pieds de Ben étaient maintenant couverts de cloques d'eau et de sang. Chaque pas le faisait énormément souffrir. Ariane devait sûrement être dans le même état. Leurs bas isothermes n'étaient toutefois pas troués et continuaient à les protéger.

Le sportif aurait voulu s'asseoir un peu, mais il était hors de question qu'ils laissent au sol une trace si évidente de leur passage. À la place, il tourna le dos au marais et appuya son sac sur un arbre. Ariane fit de même et ils scrutèrent la forêt, prêts à fuir si un soldat apparaissait.

– Je n'ai jamais eu la permission de m'approcher de ce marais, avoua Ben.

– Moi non plus. Je me demande pour quelle raison il a voulu qu'on vienne ici ?

L'adolescent fit glisser son sac de son dos vers son torse en le gardant accroché à l'une de ses épaules pour ne pas avoir à le déposer au sol. Il ouvrit la pochette du devant et trouva les instructions dont lui avait parlé son grand-père. Il les lit à voix haute pour Ariane.

Benjamin, si tu lis ceci, c'est que je ne suis malheureusement pas avec toi et que tu es en fuite. J'en suis désolé, mon garçon. J'ai confiance que tu suivras les étapes suivantes de façon très précise :

- Contourne le marais par le nord (vers la montagne).

- Rends-toi au vieil érable marqué d'une croix.

- Débusque l'appareil à sa base.

Ben commença à marcher dans la bonne direction en poursuivant sa lecture et en grimaçant de douleur à cause de ses pieds. Ariane écoutait en tournant sans cesse la tête de tous les côtés de façon à le prévenir si quelqu'un arrivait.

Cet appareil est un hologrammophe. Il sert à produire un hologramme, c'est-à-dire une réplique très précise de tout ce qu'on pose devant. Comme nous ne savions pas quel âge tu aurais au moment où il faudrait te cacher, c'est ce que nous avons trouvé de mieux. L'inconvénient, c'est que tu devras rester sur place jusqu'à la dernière minute.

- Lorsque tu actionneras le bouton A, la barrière protégeant le marais s'enfoncera dans le sol. Tu ne dois t'approcher de l'eau sous aucun prétexte !

- Enfonce le bouton B. Cela fera apparaître une source de chaleur au milieu du marais.

- Attends tes poursuivants.

- Si tu vois qu'ils hésitent à s'enfoncer dans l'eau, appuie sur le bouton C et mets-toi de dos devant l'appareil.

- Fais semblant d'avancer lentement. Un hologramme apparaîtra vis-à-vis de la source de chaleur.

- Si tes poursuivants lancent un projectile sur ton image, fais mine de te pencher pour éviter les balles et cours sur place en actionnant le bouton D. Un brouillard se lèvera rapidement.

- Dès que tu t'apercevras que tes poursuivants ont avancé dans le marais, appuie sur les boutons E et F.

- Cours ensuite vers la montagne et suis les instructions que tu y trouveras.

Ces directives semblèrent complexes à l'adolescent. Il les relut donc trois fois pour être certain de bien les comprendre et d'en maîtriser l'ordre. Pendant ce temps, Ariane repéra rapidement l'arbre dont parlait la lettre. Le petit-fils de Zachary pressa les boutons A et B et regarda la barrière s'enfoncer dans le sol. Que cachait l'étang ? La source de chaleur lui était invisible, mais il comprit que les robots pourraient la détecter et croire que c'est lui qui se cachait dans les roseaux. Il ne lui restait plus qu'à attendre ses poursuivants.

– Et s'ils arrivaient d'un autre côté ? fit remarquer Ariane.

Ben scruta les bois, inquiet.

– Non, impossible, chuchota-t-il après réflexion. Ils nous suivaient et, même si nous avons été prudents, nous avons forcément laissé des traces que ces androïdes à la fine pointe de la technologie trouveront.

– Je ne sais pas ce que grand-père a préparé, mais sa dernière consigne est : cours ! lui rappela Ariane. Je pense que nous devrions remettre nos espadrilles.

Benjamin approuva. Lorsque les côtés de ses chaussures se refermèrent sur ses pieds, plusieurs ampoules crevèrent d'un coup. Il serra les poings et chercha son souffle. Des larmes de douleur coulèrent sur ses joues sans qu'il y puisse rien.

Lorsque la douleur fut supportable, il s'accroupit doucement au pied de l'arbre et sortit un sac de nourriture. Il donna un morceau de viande séchée à Ariane, dont les mains tremblaient depuis qu'elle avait remis ses souliers. Puis, il s'en prit un et commença à le mastiquer. Il monta le capuchon de son chandail et rentra ses mains dans ses manches pour être invisible aux capteurs thermiques. Sans qu'ils échangent un mot de plus, Ariane fit de même et l'attente commença, exactement comme Zachary l'avait ordonné dans ses directives.

Une demi-heure plus tard, à exactement quinze heures dix-huit de l'après-midi, Benjamin perçut un mouvement de l'autre côté du marais. Sans geste brusque, il mit ses lunettes-jumelles et réussit à compter quatre hommes. Étaient-ce des androïdes ou de véritables soldats humains ? Impossible de le dire. Une chose était certaine : pour les avoir retrouvés si vite, ils étaient efficaces.

L'adolescent les vit se déployer sur la rive sud du marais, la tête tournée vers ce que Ben pensait être la source de chaleur qu'il avait activée. Personne ne s'avançait dans l'eau.

« Peut-être pensent-ils que le marais contient des sables mouvants », se dit l'adolescent.

Combien de temps devait-il attendre avant de mettre en fonction l'hologramme ? Était-ce une erreur ? Allait-il révéler sa position sur la rive nord s'il bougeait maintenant ? À ses côtés, Ariane était tellement tendue que les veines de son cou étaient apparentes.

Benjamin prit une grande inspiration et actionna le bouton C de l'appareil. Puis, il se mit debout à environ un mètre de l'hologrammophe. Il tourna le dos à l'engin. Ce faisant, il se trouva à faire face au marais tout en étant suffisamment caché par les branchages pour ne pas être repéré. Il soupira de soulagement. Son grand-père avait tout prévu. Il se mit à marcher sur place et vit les soldats mettre en joue quelque chose au milieu du marais.

« Ce doit être mon image qu'ils voient », soupçonna-t-il.

Dès qu'un premier projectile fut lancé, il se pencha d'un coup, puis il se balança d'un pied à l'autre en commençant à courir sur place.

Trois des quatre soldats avancèrent de plusieurs mètres, tandis que quatre autres sortaient de la forêt. Les soldats progressaient prudemment. Benjamin devait trouver le moyen d'attirer les autres soldats aussi dans le marais. Il eut soudain l'idée d'arrêter de courir et de regarder de temps en temps par-dessus son épaule comme s'il les voyait.

Il entendit un discret déclic derrière lui. Le bouton D ! Il l'avait oublié et Ariane venait de l'enfoncer. Aussitôt un brouillard s'éleva lentement. De peur de perdre la trace de l'adolescent, trois autres soldats firent plusieurs pas dans sa direction.

Sans attendre davantage, Ben enclencha les boutons E et F et fixa le marais. La clôture sortit de terre à grande vitesse pendant qu'un éclair aveuglant réduisait en cendres tout ce qui se trouvait à l'intérieur de son périmètre. Horrifié, l'adolescent tomba à la renverse.

Il devait se ressaisir. Il savait qu'il restait des soldats de l'autre côté. Bientôt, ils se remettraient à sa poursuite. Ariane devait penser la même chose, car elle lui poussa dans le dos et ramassa la ganse de son sac. Ils fuirent aussi vite qu'ils le pouvaient, sans se soucier de l'impression qu'ils avaient de s'enfoncer des aiguilles de trois centimètres dans les pieds.

- 17 -

PRÉDATEURS

Ils coururent pendant ce qui sembla des heures à Benjamin, esquivant les arbres, les arbustes et les branches autant qu'ils le pouvaient. À bout de souffle, ils se laissèrent finalement tomber au sol. La noirceur les entourait de plus en plus et la montagne se dressait devant eux, à une vingtaine de kilomètres. En pleine forêt, cela signifiait près de cinq heures de marche. Où étaient leurs poursuivants ? Les avaient-ils repérés lorsqu'ils s'étaient enfuis ? Avaient-ils trouvé l'hologrammophe et compris que c'est lui qui l'avait actionné ?

L'adolescent regarda autour de lui. Rien ne bougeait. Ariane, assise au sol, tentait de reprendre son souffle. Son visage et ses mains étaient sales et marqués de nombreuses éraflures, dont certaines saignaient.

Benjamin n'était pas dans un meilleur état. Il était affamé et épuisé autant physiquement que moralement. De plus, ses pieds le faisaient atrocement souffrir.

Dans tous les romans d'aventures qu'il avait lus chez son grand-père, jamais le héros avait peur au point d'avoir de la difficulté à respirer. Jamais il ne s'inquiétait pour ses proches au point de se sentir coupable d'aller de l'avant. Et surtout, surtout, jamais un héros n'avait été ralenti par de simples ampoules aux pieds ! Comment de si petites blessures pouvaient-elles faire si mal ? C'était d'un ridicule ! Pourtant, la seule idée de reprendre sa marche lui faisait serrer les mâchoires d'appréhension.

« Je suis pourtant un sportif, se dit-il. Je devrais être plus fort que ça. »

Malheureusement, qu'il fût sportif ou pas, une nouvelle paire d'espadrilles associée à une marche de plusieurs kilomètres ne pouvait donner un résultat gagnant. Ses pieds n'étaient plus qu'une plaie ouverte.

– La nuit tombe, observa Ariane. Nous devons manger et surtout nous soigner pour ne pas attirer les bêtes.

– Tu as raison. Mais, d'abord, nous devons nous protéger de nos poursuivants.

Le jeune sportif ouvrit son sac et en sortit une des balles chauffantes qu'il avait inventoriées plus tôt. Dessus, il actionna le mode « Plein régime ».

– Je vais la lancer au loin pour attirer les soldats dans une autre direction s'ils utilisent des lunettes à vision thermique, expliqua-t-il à Ariane.

Il la projeta le plus loin qu'il le put sur sa gauche, en souhaitant qu'elle ne soit pas arrêtée par un arbre. Puis, il revint près d'Ariane, qui en avait profité pour sortir deux paquets de nourriture de son sac à dos.

– Éloignons-nous encore un peu de la balle, suggéra l'adolescent.

Après une centaine de mètres, Benjamin se laissa glisser au sol. Ariane lui tendit un sac de nourriture et il commença à mâcher la viande séchée.

– Je pense qu'on devrait être prudents et se rationner, suggéra-t-elle. Qui sait combien de temps nous serons en fuite ?

Ben approuva et referma son sac après avoir mis un dernier morceau de viande dans sa bouche. Puis, prenant une grande inspiration, il enleva une de ses espadrilles. Il fit descendre son bas et sentit la peau de son talon se détacher de son pied au moment où il le retirait. Ariane qui l'observait dut avoir pitié de lui, car elle lui fit signe de ne pas bouger. Benjamin déposa sa jambe droite sur son genou gauche, pendant qu'elle sortait le contenant de premiers soins.

– Il y a de la peau synthétique, lui annonça-t-elle avec un sourire en observant le contenu de la boîte.

Son grand-père avait vraiment pensé à tout. Pour son talon, ce serait donc facile... douloureux... mais facile. Ils pourraient le recouvrir avec un morceau de peau qui allait en quelques heures se greffer à la sienne et faciliter la guérison. Pour l'ampoule, qui faisait tout le dessous de son pied, et pour les déchirures sur le dessus de ses orteils, c'était une autre paire de manches.

– Je peux mettre un onguent antibiotique, un pansement propre et laisser la nature suivre son cours, suggéra Ariane.

Je peux aussi percer tes ampoules et en arracher la peau avant de les recouvrir avec la peau synthétique.

L'adolescent choisit cette dernière option. Bien que beaucoup plus douloureuse, elle avait le mérite d'assurer un résultat en quelques heures. Il prit une paire de bas de rechange dans son sac. Il mordit dedans pour étouffer le bruit s'il criait. Puis, il fit signe à Ariane de se mettre au travail. Il fallait faire vite.

Heureusement, elle était très efficace. Une fois son deuxième pied pansé, Benjamin était en sueur. Il ne lui restait qu'un peu d'eau dans sa gourde. Il la but et enfila ses bas isothermes.

– C'est ton tour, annonça-t-il à sa compagne de fuite.

Il tenta d'être aussi doux qu'elle l'avait été. Malheureusement, il n'y avait pas un million de façons de désinfecter une plaie et d'en retirer la terre et quelques épines d'arbuste. Ariane serra les dents pendant qu'il pansait ses pieds. Lorsqu'il eut fini, la noirceur avait eu le temps de tomber. Dans un souffle, il dit :

– Je ne t'ai pas remerciée pour tantôt... au bord de la rivière.

Devant le regard perplexe d'Ariane, il précisa :

– Tu m'as tiré dans l'eau juste à temps. Merci !

Ariane agita la main comme pour dire : « Oublie ça. C'était normal. »

– Toute cette histoire va trop vite, continua l'adolescent. Il y a deux semaines, j'étais un gars ordinaire. Là, je suis en pleine forêt à tenter de me sauver de gens qui veulent ma peau parce qu'à trois ans j'ai traversé un trou de ver. Mes parents et mon grand-père sont des sortes de chevaliers de l'humanité des temps modernes et ils risquent leur vie pour nous... C'est complètement fou !

– Je suis bien d'accord, admit Ariane. Benjamin... je suis contente de ne pas être seule.

– Moi aussi.

Après cet aveu, les deux adolescents convinrent qu'il était plus prudent de garder un silence total. Benjamin chaussa ses espadrilles et mit ses lunettes de vision nocturne. Celles-ci lui permettraient de voir dans la nuit comme en plein jour. C'était comme si le soleil s'était levé de nouveau, mais qu'il s'agissait d'un soleil vert qui colorait tout ce qu'il éclairait. Dans le coin droit des lunettes, des données GPS pouvaient servir à l'orienter dans la direction de son choix.

L'adolescent observa les arbres autour de lui. Pour qu'Ariane et lui soient mieux protégés des prédateurs nocturnes, il savait qu'il serait plus prudent de grimper dans l'un d'eux. Du moins, jusqu'à ce que ses pieds soient à nouveau en état de le porter. Il aperçut un érable à quelques pas de là dont les branches étaient suffisamment basses pour qu'il se serve surtout de ses mains et de ses bras pour son ascension. Il se remit péniblement debout et fit signe à Ariane de le suivre.

Ben n'avait pas fini son troisième pas qu'une branche craqua sur leur gauche, à quelques mètres d'eux. Le cœur de l'adolescent s'emballa. Il remonta son capuchon et cacha ses mains dans ses manches. Ariane l'imita.

– Je perçois une source de chaleur au nord-nord-est, à cent trente mètres, murmurait une voix d'homme.

« Ma balle chauffante », comprit Benjamin.

– Tant que les renforts de Zhara ne seront pas arrivés, nous ne sommes plus que deux. Soyons prudents. Souviens-toi du vieux. Il nous a bien eus avant de mourir. C'est peut-être un nouveau piège.

La gorge de l'adolescent devint subitement trop serrée pour que l'air y passe librement. Plus aucun son ne parvint à ses oreilles. Il ferma les yeux. Son grand-père ne pouvait pas être mort ! Ben rejeta cette idée. C'était impossible. Grâce à ce refus, ses sensations revinrent.

– Ouais... Il faut l'amener vivant au laboratoire, ajouta l'autre en s'éloignant en silence.

« Au laboratoire !!! »

Benjamin s'imagina étendu sur une table blanche, des tuyaux lui sortant de partout pendant qu'on analysait son sang et ses pouvoirs cachés.

Que pouvait-il faire ? Les deux hommes venaient de dire qu'ils étaient seuls. Si Ariane et lui parvenaient à s'en débarrasser, ils auraient quelques heures devant eux... Peut-être même suffisamment de temps pour atteindre la montagne. Ils n'avaient toutefois pas d'armes autres qu'un couteau de chasse.

« Dans la forêt, disait sans cesse Zachary, il y a toujours une solution. »

L'adolescent se mit à réfléchir à toute vitesse. Soudain, il sentit une pression sur ses épaules. Ariane fouillait sans bruit dans son sac à dos. Lorsqu'il le put, il tourna la tête doucement vers elle.

Ariane tenait entre ses mains le sifflet à ours.

« Quelle excellente idée ! »

La jeune fille siffla à trois reprises comme son grand-père le lui avait enseigné et ils s'enfuirent.

Benjamin était conscient qu'ils faisaient un boucan atroce et il s'attendait à entendre des balles paralysantes siffler à ses oreilles d'une seconde à l'autre.

– Il a des vêtements thermiques de camouflage ! entendit-il derrière lui. Mets tes lunettes de distorsion !

L'adolescent ignorait ce qu'étaient ces lunettes, mais il n'avait pas besoin d'être devin pour comprendre que ce ne serait pas bon pour eux. Il vit Ariane porter à nouveau le sifflet à ses lèvres malgré le danger d'attirer les ours sur leur piste. Quelques pas plus loin, les deux fugitifs freinèrent brusquement. Le cœur de Ben manqua un battement et ses pupilles s'agrandirent de frayeur. Ils se tenaient devant un ours brun gigantesque qui reniflait l'air, debout sur ses pattes arrière. L'ours grogna de façon menaçante.

Benjamin savait qu'il ne lui servait à rien de fuir, car cette sorte d'ours pouvait courir jusqu'à cinquante kilomètres-heure et grimper aux arbres sans problème. Sans réfléchir, il attrapa Ariane par la taille et se jeta au sol. La tenant dans ses bras, il lui imposa de prendre une position fœtale. Ce faisant, leurs vêtements changèrent d'apparence en s'adaptant automatiquement à leur environnement et ils disparurent de la vue de l'ours. Ce n'était pas gagné, toutefois. Depuis longtemps, l'adolescent savait que c'étaient surtout l'odorat et l'ouïe qui guidaient ces mammifères.

Par chance, leurs poursuivants n'avaient pas arrêté leur course. Benjamin ne pouvait pas voir ce qui se passait, mais il pouvait l'entendre. Les deux hommes s'immobilisèrent. Un coup de fusil fut tiré et l'ours brun poussa un grognement de colère avant de retomber lourdement sur ses pattes avant. Il chargea celui qui venait de tirer en passant à quelques centimètres seulement de la tête de Ben. Un deuxième coup partit. Benjamin sentit le sol trembler à ses côtés lorsque l'ours tomba.

– Il y en a un deuxième sur ta gauche, murmura un soldat.

– ATTENTION ! DERRIÈRE TOI !

Ben entendit les bruits de lutte et les hurlements des hommes. Les nerfs tendus à l'extrême, il serrait les bras autour d'Ariane si fort qu'il devait certainement lui faire mal. De son côté, elle tremblait comme une feuille. Ils vivaient un cauchemar. Ils restèrent là, sans bouger, au beau milieu de la forêt, sans voir ce qui se passait et ils attendirent... longtemps...

Lorsque plus un son ne leur parvint, l'adolescent osa sortir la tête de son vêtement haute technologie de camouflage. Il retint un hurlement en voyant les yeux de l'ours brun le fixer. L'animal était mort. Benjamin se leva à demi, suivi d'Ariane. La scène de carnage qu'il découvrit lui souleva l'estomac. Il vomit à ses pieds sans pouvoir faire autrement et recula de plusieurs pas jusqu'à ce que son dos rencontre un arbre. Pour sa part, Ariane demeurait immobile, les bras pendant le long de son corps.

C'est alors que le hurlement d'un loup les fit sursauter.

- 18 -

LA MONTAGNE

Benjamin attrapa la main d'Ariane et fonça droit devant lui. Il était déterminé à ne s'arrêter qu'à la montagne, dût-il recommencer complètement le traitement régénérateur de ses pieds.

Où étaient les loups ? Bien sûr, leurs hurlements ne signifiaient pas qu'ils venaient de se lancer à leur poursuite. Par contre, l'avertissement était clair : nous sommes là !

Benjamin avait conscience que, fatigués comme ils l'étaient, Ariane et lui représentaient des proies faciles. Les loups s'en apercevraient rapidement. Le seul point positif dans toute cette situation était que la scène de carnage devait dégager un arôme très alléchant pour ces bêtes carnivores. À coup sûr, si les deux adolescents parvenaient à s'en éloigner suffisamment, les loups choisiraient des proies déjà tuées plutôt que capables de se défendre.

Grâce à ses lunettes de vision nocturne et à leur système GPS intégré, le petit-fils de Zachary se dirigeait facilement dans la bonne direction. Ariane et lui coururent, puis marchèrent en silence pendant près de deux heures sans rencontrer les loups.

Leurs merveilleuses espadrilles ayant doublé leurs efforts, les deux adolescents n'étaient maintenant plus qu'à quelques kilomètres du pied de la montagne. L'adrénaline qui avait coulé dans leurs veines après leur rencontre avec les ours s'était maintenant estompée et la fatigue de cette journée se faisait cruellement sentir. Ben décida de s'arrêter quelques secondes.

– Grand-père nous rejoindra à la montagne, annonça Ariane, d'une voix ferme.

Surpris, le sportif observa sa compagne de fuite. Le regard au loin, elle fixait la montagne d'un air buté. En quelques heures, elle avait perdu son chien, sa maison et sa sécurité. Elle avait besoin de croire que

Zachary était encore en vie. Benjamin aussi. De toutes ses forces. Malgré les paroles du soldat, il décida de ne pas contredire Ariane.

– Ce serait tout à fait son genre, approuva-t-il.

– Où doit-on se rendre exactement ? demanda-t-elle froidement.

L'adolescent sortit de son sac la carte de la région. Ariane s'approcha au-dessus de son épaule. Ils observèrent minutieusement le contour de la montagne. Rien ne laissait deviner une cachette ou un repaire. Ben connaissait bien son grand-père.

– Si j'avais perdu la carte, murmura-t-il, grand-père n'aurait pas voulu que quelqu'un d'autre trouve la cachette.

Il avait l'habitude des énigmes de Zachary. Il était certain que l'indice qu'il cherchait était là, mais qu'il devait le trouver. En réfléchissant, il observa le tatouage sur son poignet. Cela lui donna une idée.

– Peut-être a-t-il utilisé de l'encre invisible ?

– Une fois, se souvint Ariane, il m'avait laissé un message invisible sur un mouchoir de tissu. J'avais dû le mouiller pour parvenir à lire ses instructions. Ça m'avait pris deux jours pour trouver cette solution.

– Une fois, renchérit Benjamin avec un sourire nostalgique, il m'en avait laissé un que je devais passer sur une flamme pour que les mots apparaissent.

– Il m'a fait ce coup-là aussi, rit Ariane. Peut-être doit-on lire celui-ci sous les rayons du soleil ?

– Pitié, pas ça... On est en plein milieu de la nuit.

L'adolescent tendit la carte à Ariane et passa en revue ce que contenait son sac. La solution était sûrement là. Ses yeux finirent par tomber sur le crayon de bois.

– Pourquoi a-t-il mis cet archaïque instrument d'écriture dans mon sac de survie ? murmura-t-il.

Il le prit et le fit rouler plusieurs fois entre son pouce et son index en réfléchissant. Puis, il se décida. Il reprit la carte des mains d'Ariane et la déposa sur son sac. Puis, il entreprit de noircir le coin gauche de la page avec la mine noire du crayon. Ariane approcha sa tête à quelques centimètres de la sienne et le regarda faire.

Eurêka ! Le visage d'un bonhomme sourire apparut. Ben se dépêcha de recouvrir la carte de mine de plomb. Une flèche se dessina. Elle pointait vers un endroit précis au pied de la montagne. Les coordonnées étaient notées. Avec des sourires de satisfaction, les deux adolescents reprirent leur route.

Il leur fallut une autre heure et demie pour arriver à destination. Il devait être près d'une heure du matin. Benjamin regardait tout autour de lui. Bizarrement, il s'était attendu à trouver une cabane, une grotte, voire, aussi peu logique que cela puisse sembler, un écriteau lui indiquant où aller. Rien. Il n'y avait rien ! Il marcha un peu vers l'est, pendant qu'Ariane avançait vers l'ouest. Il monta sur quelques mètres le pied de la montagne et elle fit de même. Puis, ils s'éloignèrent encore un peu, recommençant le même manège. Le découragement prenait lentement mais sûrement le dessus en eux. Ils ne savaient même pas ce qu'ils cherchaient. La fatigue embrouillait leur vision.

Benjamin enleva ses lunettes et leva les yeux vers le ciel. Il observa les étoiles quelques instants. Jamais il ne s'était senti si petit au milieu de cet univers. Il était épuisé. Pour la énième fois, il se demanda où étaient son frère et ses parents. Il aurait tellement aimé être rassuré sur leur sort !

Puis, ses pensées s'envolèrent à nouveau vers Zachary. Son grand-père avait toujours une façon bien à lui de lui faire découvrir les choses. En scrutant les arbres qui l'entouraient, il remarqua des épinettes.

« Tu peux sauver ta vie avec une épinette, disait Zachary. Tu peux manger l'écorce intérieure, mâcher sa gomme-résine et, si tu as du temps et un peu de cassonade... tu peux même faire de la bière. »

Ben sourit à ce souvenir, car son grand-père avait entrepris de lui prouver ses dires et, à douze ans, il avait fabriqué et bu sa première bière d'épinette. C'était vraiment mauvais ! Toutefois, il avait adoré le temps qu'il avait passé avec son grand-père à la préparer.

– Tu peux sauver ta vie avec des épinettes, murmura Ariane, qui venait de le rejoindre et regardait dans la même direction que lui.

En entendant l'écho de ses pensées, l'adolescent se sentit soudain très proche de cette jeune fille qu'il ne connaissait pourtant presque pas et qui l'agaçait tant quelques heures plus tôt.

– Regarde, lui fit-il observer, il y en a deux sur la gauche qui poussent tellement collées l'une sur l'autre qu'on dirait qu'elles ont le même tronc. Grand-père avait l'habitude de dire qu'il s'agissait d'arbres jumeaux.

– Mais... le voilà, notre indice ! s'exclama Ariane. L'origine du prénom Thomas, que tu portais à ta naissance, est araméenne ; il signifie « jumeau ».

– Comment sais-tu ça ?

– Grand-père me l'a appris la semaine dernière. Ce n'était sûrement pas pour rien.

Les adolescents s'élancèrent vers les deux arbres et entreprirent d'en faire le tour minutieusement en laissant glisser leurs mains sur les troncs. Au pied de l'un d'eux, il y avait un amas de galets. Le sourire de Ben s'élargit.

– Des galets dans une forêt, maintenant !

Ariane observa le sol et en trouva un autre petit tas un peu plus loin. Puis, un autre et un autre. De fil en aiguille, ils parvinrent à deux autres épinettes collées l'une sur l'autre. Elles étaient à flanc de montagne et Benjamin dut se contorsionner pour passer derrière.

– Il semble y avoir un trou qui permet d'entrer dans la montagne, annonça-t-il à Ariane.

« Pourvu qu'il n'y ait pas de bêtes sauvages à l'intérieur », pensa le sportif en empoignant son couteau de chasse.

La grotte était sombre. Heureusement, l'ouverture vers l'extérieur laissait pénétrer juste assez de lumière pour que ses lunettes de vision nocturne fonctionnent. Il avança à quatre pattes pendant une centaine de mètres puis s'arrêta. Il était arrivé au fond de la grotte.

« Impossible ! » nia-t-il pendant qu'Ariane le rejoignait.

L'adolescent était certain qu'ils avaient bien déchiffré les indices de Zachary. Persévérant, il fit glisser ses mains sur la surface du mur en cherchant un nouveau signe. Dans le coin supérieur droit, il finit par découvrir un trou de la grosseur d'un poing. Il glissa sa main au milieu des toiles d'araignées qui s'y étaient formées et attrapa une petite poignée qu'il tira vers lui.

Aussitôt, le mur de pierres glissa dans la paroi, laissant une ouverture suffisamment grande pour que Ben puisse passer. Ce faisant, il se retrouva dans un espace clos d'environ quatre mètres sur quatre mètres. Dès qu'Ariane fut entrée à son tour et que plus rien n'obstrua le passage, le mur de pierres reprit sa place derrière eux. Une lueur bleutée éclaira l'endroit. Ils enlevèrent leurs lunettes de vision nocturne et observèrent la petite pièce. Un mur identique à celui qu'ils venaient de franchir leur faisait face. Sur leur droite, ils découvrirent deux gros coffres de métal.

Benjamin s'en approcha. Une serrure digitale en verrouillait les couvercles. À tout hasard, il passa son index sur la petite plaque de celui de gauche et... surprise... le coffre se déverrouilla. Il fit de même avec le suivant. Rien ne se produisit.

– Essaie, toi, suggéra-t-il à Ariane.

Dès qu'elle passa son doigt sur la plaque, le déclic indiquant l'ouverture de la serrure se fit entendre. L'attention de l'adolescent revint alors sur son propre coffre. Il l'ouvrit et y trouva un nouveau sac à dos vide, de la nourriture, des vêtements, de l'eau, des lunettes à infrarouge, une corde, une deuxième trousse de premiers soins, des couteaux, un petit tube de métal, une pelle dont le manche était replié sur la palette et une lettre sur écran souple. Il s'empressa de la prendre et alluma l'écran d'une pression du doigt. Elle provenait de son père.

Ben,

Si tu lis cette lettre, c'est fort probablement parce que tu es seul. Je te félicite de t'être rendu jusqu'ici. Tu es bien mon fils et je suis fier de toi ! Maintenant, tu dois oublier tout ce qui s'est passé auparavant, y compris ce qui a pu advenir de moi, de ta mère, de ton frère ou de ton grand-père. Tu dois te concentrer sur un seul objectif... ta survie !

J'ai placé dans ce coffre tout ce dont tu as besoin pour traverser cette montagne. Tu devras te rationner pour la nourriture, car ce sont des aliments modifiés. Il ne faut pas en abuser. Un sachet de protéines, additionné à un de fruits et légumes, constituent un repas complet. Tu trouveras de l'eau potable en quantité un peu partout sur ton chemin. N'emporte avec toi aucun objet électronique (oreillette, ordinateur souple, technocom...). C'est trop facilement repérable. Ensuite, enfile la combinaison contenue dans ce coffre et laisse tout ce que tu as amené de l'extérieur ici. Souviens-toi des conseils que ton grand-père t'a donnés lors de tes séjours chez lui. Il te prépare depuis des années pour cette traversée sans que tu le saches.

Avant de partir, écoute le message enregistré dans le tube laser.

Si tu as besoin de te reposer un peu, tu es en sécurité ici, mais tu n'as de l'oxygène que pour huit heures. La lumière deviendra rouge lorsque le seuil sera critique. Lorsque tu t'enfonceras dans la montagne, mets les lunettes à infrarouge et suis les traces sur les parois rocheuses. Elles t'indiqueront le chemin à prendre. Éteins tes lunettes chaque fois que tu en as l'occasion, les rayons infrarouges sont repérables. La montagne est truffée de pièges. Reste sur la voie que nous t'avons indiquée. Si tu dois en sortir, active la protection de ta combinaison en pressant sur le bouton bleu et mets-toi dans la peau du champion de skiroulo que tu es.

Il y a trois sorties à la montagne. Si tu le peux, rejoins celle qui mène au lac de sable rouge. Quelqu'un devrait t'y attendre pour t'aider à sortir de la montagne. Avant de t'en approcher, demande-lui de quel pays il vient. Il devra te répondre par un seul mot, qui ne désigne PAS un pays.

Dernière chose : prends l'empreinte digitale qui se trouve dans le couvercle du coffre et dépose-la sur ta poitrine. Elle s'intégrera à ta peau et ne sera pas repérable. Si tu en as besoin, arrache-la et place-la sur un de tes doigts. Une nouvelle identité te sera attribuée.

Sois prudent ! Je t'aime, mon fils.

E.

Benjamin relut la lettre trois fois. Il sentait son père tout près de lui. Cela eut pour conséquence qu'il lui manqua encore plus. Il avait l'impression de le voir avec son grand-père préparer la montagne pour faciliter sa fuite. Edmond lui écrivait que quelqu'un l'attendait vraisemblablement quelques kilomètres plus loin pour l'aider. Il devait rejoindre cet homme.

Il tourna la tête vers Ariane et vit que des larmes coulaient sur ses joues pendant qu'elle lisait, elle aussi, une lettre sur écran souple. Était-elle de Zachary ? Probablement. La gorge subitement serrée, l'adolescent décida de ne pas la déranger.

Il se déshabilla. Il prit les gants contenus dans le coffre et les déposa sur le sol. Puis, il enfila la combinaison, les bas et les nouvelles espadrilles. Cette fois, ce n'étaient pas des Dragon 311, mais des Bous-marks, les espadrilles de montagne les plus performantes jamais fabriquées. Quatre boutons en ornaient les côtés intérieurs. Ben testa le premier ; des ventouses apparurent sur la semelle. Il pressa le deuxième et vit les ventouses se rétracter et des pics de deux centimètres se dresser. Il essaya le troisième bouton et deux ressorts surgirent, un vis-à-vis du talon et l'autre au niveau des orteils. Le quatrième ramenait l'espadrille à son état d'origine. Wow !

Avant de refermer sa combinaison, il prit dans le couvercle du coffre le papier rouge sur lequel étaient collées l'empreinte digitale ainsi qu'une petite pince. Avec précaution, il utilisa l'outil pour soulever la pellicule transparente afin de la déposer sur sa poitrine comme son père le lui recommandait dans sa lettre. Il s'appliqua pour ne pas faire de plis dans le plastique. Dès qu'il eut terminé, une chaleur se dégagea de la pellicule. Rapidement, la douleur devint si intense qu'il dut mordre son poing pour éviter d'arracher l'empreinte qui s'intégrait à sa peau. Lorsque la douleur fut supportable, il baissa la tête et fut surpris de voir que la pellicule n'était déjà presque plus visible. À peine une minute plus tard, il ne ressentait plus qu'un léger picotement et l'empreinte avait complètement disparu. Alors, du bout de l'index, il toucha sa poitrine et parvint tout juste à sentir le contour du plastique.

Pendant ce temps, Ariane s'était également changée et elle testait ses espadrilles en tous points semblables à celles de Ben.

– Comment vas-tu ? demanda-t-il.

– Je ne sais pas. J'ai l'impression que mon univers a sombré et j'ignore comment sauver ce qui reste.

– Si je n'avais pas arrêté le temps...

– Ce n'est pas ta faute, le coupa-t-elle, catégorique. J'ai traversé un trou de ver moi aussi. Si ça se trouve, j'ai aussi un pouvoir quelconque. Ça m'a toujours fait peur, d'ailleurs. Surtout que, malgré tous nos efforts, grand-père et moi ne l'avons jamais découvert. Tout ce que je veux, maintenant, c'est sortir d'ici. Je vais rejoindre des cosantays et quitter cette terre pour Iskay. Si jamais l'impossible s'est produit et que grand-père est réellement mort, il est hors de question que ce soit pour rien.

Benjamin regarda l'adolescente, dont le visage reflétait autant la tristesse que la détermination et la colère. Ses yeux étaient cernés de noir et des mèches de cheveux s'échappaient de sa coiffure. Cela lui donnait un air encore plus négligé et fatigué.

Ariane l'observa à son tour en penchant la tête sur son épaule droite et en se mordant la lèvre inférieure. Visiblement, elle hésitait à continuer à parler. Lorsqu'elle se décida, elle resta vague.

– Je dois t'avouer que, dans sa lettre, grand-père m'a demandé de récupérer un objet d'une extrême importance qui se trouve dans cette montagne.

– La formule pour créer les trous de ver..., murmura Ben, au souvenir des paroles de son père.

– Tu connais son existence ? fit Ariane, surprise.

– Mon père m'en a glissé un mot tantôt, avant que nous nous sauvions.

– Depuis de nombreuses années, c'est grand-père qui veille sur ces données. Maintenant que Zelfor connaît sa cachette, grand-père est persuadé qu'ils vont tout fouiller de fond en comble, cette montagne incluse. Il me demande de trouver les formules scientifiques et de les apporter avec moi.

– Tu sais donc où elles sont ?

– Grand-père a écrit que nous devions trouver la terre qui monte et qui descend. Puis, laisser le grand maître des fléaux prélever de notre sang.

– Ah… grand-père et ses énigmes ! soupira Benjamin. Je ne suis pas certain de trouver celle-ci très rassurante.

– La terre qui monte et qui descend, répéta Ariane. Comment la terre peut-elle monter et descendre en même temps ?

– Grand-père me disait toujours qu'il ne me donnait une énigme que s'il était certain que j'étais capable de la résoudre. Il disait aussi qu'on réfléchissait toujours mieux lorsqu'on était reposé. Si on veut y arriver, je suggère qu'on dorme un peu.

– Oui, mais avant, grand-père nous conseille d'écouter ceci.

Ariane lui montra un petit tube laser identique à celui qui se trouvait dans son propre coffre. Elle actionna le mécanisme d'ouverture et l'image de Nathan apparut sur un des murs de la grotte. Une voix que Ben ne connaissait pas récapitula l'histoire de son père biologique et de ses recherches. Ensuite, ce fut une image de lui-même en tenue de skirouloi qui s'afficha. On leur expliqua à nouveau la traversée des trous de ver par les Verriens. L'image d'une femme succéda à la sienne.

> « Voici Zhara Corel. Quarante ans. Propriétaire de la multinationale Zelfor, de la station lunaire Zirga, de la station de miran Zoulou sur Mars et du prochain vaisseau spatial à destination d'Iskay.
>
> Elle est responsable de l'enlèvement de sept Verriens sur les dix qui ont traversé au cours des cent cinquante dernières années. Elle a commandité le meurtre de quatre cents enfants depuis les onze dernières années. »

– Quoi !?... s'exclama Benjamin, dégoûté. Mais pourquoi ?

– Elle te cherchait, lui apprit doucement Ariane, comme si ces informations n'étaient pas nouvelles pour elle.

La voix reprit :

> « Par ses sociétés, Zhara contrôle le wibi, le système de sécurité canadien, le transport aérien et une grande partie du transport interplanétaire. »

– Mais... mais... ça veut dire que nous ne sommes en sécurité nulle part ! s'exclama l'adolescent.

> « Le pouvoir de Zhara Corel est immense », affirma la voix. « Toutefois, ce n'est pas suffisant pour elle. Elle veut être reconnue comme le maître absolu. Pour ce faire, elle a besoin de temps... d'où sa motivation à créer le virus de prolongation de vie. Elle n'avait toutefois pas prévu que, pour qu'il soit efficace, il fallait traverser un trou de ver. C'est pourquoi elle a développé les voyages vers Iskay et est en train d'y former une armée. Elle ira la chercher sous peu. Notre mission : l'empêcher d'y parvenir. Seule possibilité : envoyer un Verrien sur Iskay. En cas d'échec : rien ne l'arrêtera. »

L'image s'éteignit. Benjamin et Ariane se regardèrent.

– Ils ont vraiment besoin de nous, marmonna Ariane.

Ben acquiesça. Tout ça le dépassait tellement ! La fatigue ne l'aidait en rien à y voir clair.

– Nous devons dormir, rappela-t-il à Ariane.

– Nous avons quatre heures d'oxygène à deux et, ici, je pense que nous sommes en sécurité.

Ariane prit le temps de défaire la pince qui retenait ses cheveux et de les torsader à nouveau avant de s'allonger au sol. Elle tourna le dos à Ben. L'adolescent l'observa quelques secondes et se coucha à son tour. Il passa machinalement le pouce sur la spirale bleue qui ornait son poignet droit et s'endormit la tête pleine d'images de Zhara et de trous de ver.

Il émergea de son sommeil au moment où quelqu'un lui secouait l'épaule. Tout était nimbé de rouge autour de lui. Il lui fallut quelques secondes pour comprendre où il se trouvait. Il bougea les orteils dans ses chaussures et ne ressentit plus de douleur.

La peau synthétique devait avoir fait son travail malgré sa course forcée. Il se sentait un peu étourdi et avait encore sommeil.

– Lève-toi, lui ordonna Ariane. Le niveau d'oxygène est très bas. Nous devons sortir d'ici.

Sans attendre, Benjamin se dirigea vers le mur de pierres qui les séparait de la montagne. Il actionna le mécanisme d'ouverture de la paroi rocheuse. Dès que le mur s'ouvrit, le niveau d'oxygène augmenta. Cela leur fit le plus grand bien.

Il devait être environ six heures du matin. Les deux adolescents prirent quelques minutes supplémentaires pour manger toutes les provisions que contenaient les sacs qu'ils avaient apportés de chez leur grand-père. Ensuite, ils remplirent leurs nouveaux sacs.

– Place ton matériel de façon à atteindre facilement ce dont tu pourrais avoir besoin en toutes circonstances, lui conseilla Ariane.

Benjamin hocha la tête. Malgré le conseil de son père, il décida de conserver le somnichoc de William et il le glissa dans son sac. Il prit ensuite la lettre de son père entre ses mains. Il la relut et la replaça dans le coffre avec tout ce qu'il avait apporté de l'extérieur. À la dernière seconde, il choisit toutefois de garder un des deux livres de papier. Le coffre se verrouilla dès qu'il en ferma le couvercle. L'adolescent jeta un dernier coup d'œil autour de lui. Il n'avait rien oublié.

– Il est temps de partir, dit-il en enfilant la paire de gants qu'il avait mise de côté.

Elle se colla aussitôt à ses mains comme une seconde peau.

Ariane traversait déjà l'ouverture. Il la suivit. La noirceur dans la grotte était totale. Il mit ses lunettes à infrarouge et découvrit que le plafond était suffisamment haut pour qu'il puisse se mettre debout et marcher. Le couloir était étroit. Ils avancèrent en silence l'un derrière l'autre pendant une dizaine de minutes avant d'arriver à un embranchement en Y. Ben observa attentivement les parois rocheuses et finit par découvrir une minuscule flèche pointant vers la droite.

– Regarde, dit-il en la montrant à Ariane. On a tracé l'indication de manière à ce qu'elle soit discrète.

Il était soulagé de ne pas avoir à chercher davantage et à perdre ainsi un temps précieux. Les deux adolescents empruntèrent le couloir presque sereinement.

Une quinzaine de minutes plus tard, une explosion suivie d'un tremblement de terre les propulsa au sol. Ben s'écorcha les genoux au passage.

– Ils nous ont retrouvés, lança Ariane, apeurée, en se relevant. Ils sont entrés.

– Nous avons dormi trop longtemps. Nous avons perdu notre avance.

- 19 -
ESCALADE

Les deux fugitifs s'élancèrent au pas de course. Ils suivirent le couloir et prirent deux autres embranchements. Les discrètes flèches étaient toujours tracées à peu près au même endroit. Benjamin ne savait pas combien de soldats étaient sur leurs talons ni si certains d'entre eux étaient entrés par les trois autres ouvertures dont son père lui avait parlé dans sa lettre. L'idée qu'il se dirigeait peut-être directement dans la gueule du loup le faisait trembler...

« Nous n'avons pas d'autre choix que d'essayer, réfléchit-il judicieusement. Et puis, il faut trouver les données scientifiques de Nathan. »

Plusieurs minutes plus tard, le couloir qu'ils parcouraient s'ouvrit sur un lac. Une douce lueur éclairait la moitié inférieure de la grotte. Étant donné que cette lumière les empêchait d'utiliser adéquatement leurs lunettes à infrarouge, ils furent obligés de les retirer. Personne ne les attendait et il n'y avait pas un seul grain de sable autour d'eux.

« Ce n'est donc pas de ce lac que mon père parlait », déduisit Ben.

L'adolescent se pencha au-dessus de l'eau. Il constata que l'éclairage était produit par des roches vertes au fond du lac. Plus de la moitié de la surface de celui-ci était gelée. La couche de glace faisait à peine un demi-centimètre. C'était nettement insuffisant pour supporter son poids ou celui d'Ariane.

– Regarde là-bas, chuchota Ariane en pointant la paroi rocheuse du côté opposé du lac.

Benjamin vit l'ouverture d'un autre tunnel. Il leur fallait donc traverser le lac pour continuer leur route. Il laissa son regard errer dans la grotte. Il n'y avait aucune barque, aucune corde et l'eau était à première vue trop froide pour penser à nager.

L'escalade était leur seule option. Il actionna le deuxième bouton de ses espadrilles et sentit les pics surgir sous ses pieds. Au même moment, une vibration parcourut ses mains. La texture du tissu de ses gants se modifia, comme si la commande donnée aux souliers avait eu une double fonction. De minuscules pics de métal apparurent sur chacun de ses doigts et dans les paumes de ses mains.

– Fantastique ! s'exclama-t-il en observant ses gants.

Pendant qu'Ariane actionnait un bouton semblable sur ses propres chaussures, Ben glissa ses doigts dans une fente horizontale du mur à sa gauche et donna un coup de pied dans le roc pour y enfoncer son pic. Le bruit que cela produisit lui fit serrer la mâchoire d'appréhension et le dissuada de recommencer. Il entreprit son ascension en choisissant des prises naturelles.

– Montons le plus haut possible afin d'être dans la noirceur, proposa-t-il à Ariane.

– Bonne idée, comme ça, si les soldats arrivent avant qu'on ait traversé, ils ne nous verront pas.

– Exactement.

Trente minutes plus tard, ils avaient parcouru près des trois quarts du chemin. Ils se trouvaient maintenant en pleine noirceur et il leur était plus difficile de repérer de bonnes prises pour leurs mains et leurs pieds. Étant donné qu'aucun cordage ne les retenait, la peur de tomber dans le lac gelé s'ajoutait à celle de voir apparaître des soldats.

Benjamin assura sa prise suivante pour sa main droite et déplaça son corps vers celle-ci. Il observa le roc sous lui et trouva où glisser son pied. Au moment où il allait y poser les pics de sa chaussure droite, des voix se firent entendre.

– *Stop*, lança un soldat. *There is a lake here*[1].

Benjamin retint son souffle. Les muscles tendus par l'effort, il tourna lentement la tête et observa trois soldats éclairés par le lac. Chacun faisait le double de son poids.

---

[1] Arrêtez. Il y a un lac ici.

– *El adolescente no puede haber pasado por aquí*[2].

– *Yet we followed his trace*[3].

– *Entonces... él regreso o salto de cabeza en el agua fría. ¿ Quieres ir a verificar*[4]?

Ben n'avait pas besoin d'oreillette traductrice. Grâce à son grand-père, il comprenait parfaitement ces deux langues. Le soldat qui parlait anglais commença à promener le faisceau d'une lampe sur les parois de droite pendant qu'un second observait avec minutie la surface du lac. Le sportif ne pouvait pas bouger. Il tentait de maintenir sa position du mieux qu'il le pouvait, mais ses forces diminuaient. Il entendait Ariane prendre de grandes mais discrètes inspirations. Sans doute essayait-elle de donner à ses muscles le plus d'oxygène possible.

---

[2] L'adolescent ne peut pas être passé par ici.

[3] Nous avons pourtant suivi sa trace.

[4] Dans ce cas, il a rebroussé chemin ou sauté la tête la première dans cette eau froide. Veux-tu aller vérifier ?

La peur de faire un faux geste et de révéler leur présence augmentait à chaque seconde d'effort.

« Allez-vous-en !... Allez-vous-en !... Allez-vous-en ! » priait Benjamin en boucle dans sa tête.

Lorsque le soldat dirigea son faisceau vers eux, les deux adolescents retinrent leur souffle. Le faisceau passa près des souliers de Ben, puis près de la tête d'Ariane. Ce ne fut pas suffisant pour que les soldats, qui avaient enlevé leurs lunettes à infrarouge, les détectent.

Finalement, l'un d'eux se pencha, brisa la glace et toucha l'eau. Il dut trouver sa température suffisamment dissuasive, car Ben les vit s'éloigner.

– Allons-y ! murmura-t-il.

Sans attendre, ils reprirent leur progression la peur au ventre, craignant que les soldats reviennent et les éclairent avec leur lampe.

Arrivé de l'autre côté du lac, au-dessus de l'entrée du tunnel qu'ils avaient repérée,

Benjamin descendit lentement. Il enfonçait ses pics dans chaque petit espace disponible, de façon à ne pas avoir à donner de coups de pied pour les planter. Il choisit de descendre du côté droit de l'ouverture pendant qu'Ariane prenait à gauche. Une fois vis-à-vis du tunnel, l'adolescent se glissa lentement à l'intérieur.

Comme lui, Ariane passa d'abord une main dans le tunnel en cherchant une bonne prise. Puis, elle fit passer sa jambe. Au moment où Ben arrivait près d'elle pour l'aider, la roche sous la main gauche de l'adolescente se détacha de la paroi et dégringola dans l'eau avec fracas.

Benjamin eut juste le temps de tendre le bras pour tirer Ariane à l'intérieur du tunnel. Il l'aida à se relever pendant qu'ils entendaient les pas des soldats résonner à l'autre bout de la caverne. Avant que leur lumière les atteigne, les deux fugitifs s'enfoncèrent dans le noir.

Benjamin et Ariane couraient aussi vite qu'ils le pouvaient. Étant donné qu'ils se savaient repérés, ils ne se gênèrent pas pour mettre leurs lunettes à infrarouge. Ils découvrirent que les couloirs étaient creusés différemment dans cette partie de la montagne. D'une largeur et d'une hauteur de deux mètres, les parois et le plafond étaient retenus par de gros grillages de métal. Derrière ceux-ci, de grosses veines rousses d'un minerai qui leur était inconnu couraient sur les murs. Sans l'ombre d'un doute, il s'agissait d'une ancienne mine souterraine.

Après le vaste espace de la grotte du lac, ces couloirs étroits donnèrent à Ben l'impression d'être pris au piège dans un terrier. L'adolescent fut rapidement en sueur. Il sentit son souffle devenir court, comme s'il allait manquer d'oxygène. De peine et de misère, il tenta de se calmer et de poursuivre sa course.

Après quelques minutes, ils durent s'arrêter à une fourche. Ariane trouva la flèche leur indiquant la bonne direction et ils repartirent aussi vite qu'ils étaient arrivés, enjambant des morceaux d'un vieux chemin de lévitation de rochers.

Quinze minutes plus tard, un point de côté comprimait le côté droit de Ben au niveau des côtes inférieures. Étant donné qu'Ariane avait pris quelques pas de retard, il arriva le premier à un nouvel embranchement. Toujours angoissé par le manque d'espace et les soldats qui pouvaient arriver à tout moment, il observa rapidement les parois. Il n'y trouva aucune flèche.

« Impossible ! paniqua l'adolescent. Elle doit être là ! »

Il scruta avec plus de minutie les murs, le sol, le plafond, allant même jusqu'à faire glisser ses doigts sur les parois rocheuses, pendant qu'Ariane arrivait près de lui. Rien. Avait-elle été effacée ? S'était-il trompé à la fourche précédente ? Le doute l'envahit. Il regarda dans les deux tunnels. Ils lui semblaient identiques. Les battements de son cœur s'accélérèrent.

Il se préparait à consulter Ariane lorsqu'il vit une lueur rouge vaciller sur le mur devant lui. Des bottes martelaient le sol au loin. Les soldats les avaient rattrapés ! Sans réfléchir davantage, Ariane et lui s'élancèrent dans le couloir de droite. Au bout de quelques mètres, Benjamin remarqua au sol un rail de chemin de lévitation qui s'enfonçait dans le noir. Se pouvait-il qu'il soit encore en fonction ? Il repéra un gros morceau de roc, le souleva et le mit sur le rail. Trois secondes plus tard, le rocher s'éleva de quelques centimètres et fut emporté au loin. Son père avait écrit :

> *La montagne est truffée de pièges. Reste sur la voie que nous t'avons indiquée. Si tu dois en sortir, active la protection de ta combinaison en pressant sur le bouton bleu et mets-toi dans la peau du champion de skiroulo que tu es.*

C'est ce qu'il avait l'intention de faire. Il activa sa protection et fit signe à Ariane de faire de même.

– Aide-moi à soulever cette grande pierre plate, lui commanda-t-il en indiquant le rocher en question. Nous allons la mettre sur le rail. Lorsque ce sera fait, monte dessus et imite mes mouvements.

Ariane accepta d'un hochement de tête. Dès qu'ils lâchèrent la roche, l'adolescente grimpa dessus et Ben se plaqua dans son dos après avoir enclenché les ventouses de ses chaussures. Trois secondes plus tard, la roche se mit à léviter. Benjamin fléchit les genoux, obligeant Ariane à faire de même. Il posa sa main droite sur le ventre de la jeune fille et sa gauche sous la main d'Ariane, qu'il tendit vers l'extérieur pour maintenir leur équilibre. Juste à temps ! Une formidable attraction tira le rocher dans le tunnel.

Les adolescents prirent de la vitesse. Heureusement, parce que les pas des soldats résonnaient de plus en plus fort dans le corridor de pierre. Espérant qu'ils sèmeraient facilement leurs ennemis maintenant qu'ils avançaient à près de trente kilomètres-heure, Benjamin se concentra sur la route qu'ils empruntaient.

– Attention, cria Ariane lorsqu'un mur apparut devant eux.

Elle crispa de peur les doigts de sa main droite sur la main de son coéquipier. Celui-ci n'en tint pas compte. Il était dans une compétition. Il était un skirouloi. Il voyait les courbes, les bosses et les pentes devant lui et obligeait ses muscles à s'adapter à la vitesse et à compenser l'attraction.

Graduellement, Ariane colla davantage son corps au sien de façon à imiter chacun de ses mouvements. Les deux adolescents prenaient toujours de la vitesse. Ils allaient maintenant beaucoup trop vite, même pour Ben. Les murs de chaque côté d'eux n'étaient qu'à un mètre l'un de l'autre. La peur que le champ magnétique cesse d'un seul coup et qu'Ariane et lui soient projetés vers l'avant ou qu'un mur se présente au bout de leur chemin l'envahit.

Lorsqu'il vit une lumière bleutée au bout du tunnel, Benjamin comprit qu'ils allaient déboucher dans une nouvelle grotte. Il s'imagina que, comme dans les vieux films américains, les rails de lévitation allaient être posés sur une grande charpente en bois et allaient descendre en zigzag jusqu'au fond de la grotte.

– C'est presque fini, lança-t-il à Ariane.

Il avait l'habitude des pentes. Il préférait cela aux tunnels, dont on ne voyait les courbes qu'au moment où on tombait dessus.

– BEN ! cria Ariane. Les rails de lévitation s'arrêtent !

Elle avait raison ! Juste au bout du tunnel ! Les murs étaient trop proches pour que les fugitifs sautent en bas de leur rocher. De quelle hauteur serait la chute ? À ce moment, Benjamin aurait tout donné pour entendre dans ses oreilles les directives de Jacob. Il pressa davantage sa main sur le ventre d'Ariane et ferma les yeux. Contrairement à ce qu'ils pensaient, lorsque le rail s'arrêta, ils ne tombèrent pas. L'adolescent ouvrit les yeux et vit que la roche sur laquelle ils étaient juchés continuait son chemin dans un vol plané, exactement comme le faisait un aérovéhicule.

Elle suivait un champ magnétique en corridor qui l'entraînait vers un nouveau couloir sur sa gauche, plusieurs mètres plus haut. La peur de tomber à cette hauteur décuplait les forces de Ben, qui luttait pour maintenir leur équilibre dans cette pente ascendante.

– Saute ! cria-t-il à Ariane dès qu'il fut certain de trouver un plancher sous leurs pieds.

Elle s'exécuta en même temps que lui. Tremblant, Benjamin s'éloigna du chemin de lévitation. Après quelques pas sur des jambes chancelantes, il se laissa glisser au sol, le dos appuyé contre le roc de ce nouveau tunnel. Il sortit de son sac sa gourde d'eau et en avala de grandes rasades pour se remettre de ses émotions. Ariane l'imita. Elle souriait.

– Qu'y a-t-il de drôle ? lui demanda-t-il, ébahi.

– Nous sommes en vie ! murmura-t-elle. C'était... C'était... intense !

C'était le moins qu'on puisse dire. Malgré la peur qu'il avait vécue, il ne put s'empêcher de lui rendre son sourire.

Puis, les deux adolescents observèrent le nouveau tunnel dans lequel ils se trouvaient.

– Où devons-nous aller maintenant ? demanda Ariane.

Le père de Ben avait écrit :

« Il y a trois sorties à la montagne. Si tu le peux, rejoins celle qui mène au lac de sable rouge. Quelqu'un devrait t'y attendre pour te venir en aide. »

Il y avait beaucoup plus de chances qu'un lac se trouve au pied d'une montagne qu'au milieu. Ils devaient donc trouver un passage qui descendait. Combien de temps mettraient-ils à traverser cette montagne maintenant qu'ils ne se trouvaient plus dans la voie tracée par Edmond et Zachary ? Et comment feraient-ils pour trouver les données scientifiques du père biologique de Ben ? Heureusement qu'ils venaient de mettre un précipice entre leurs poursuivants et eux.

Benjamin tourna la tête vers Ariane pour lui répondre. Il vit alors un petit insecte aux yeux métalliques bleus se poser sur le cou de la jeune fille. Il leva la main pour le chasser quand une brûlure se propagea dans son bras gauche. Il n'eut pas le temps de voir ce qui venait de le piquer ; il s'endormait déjà.

- 20 -

ÉNIGMES

Les voix de trois soldats qui discutaient en anglais tirèrent Benjamin de son sommeil artificiel. Il se mit debout d'un seul bond et se retrouva par le fait même avec trois armes pointées vers lui.

– Alors, la sieste est terminée ? ricana l'un d'eux.

Incrédule, l'adolescent observa bien les soldats. Il y avait deux hommes et une femme. Ce n'étaient pas les mêmes individus que ceux qu'il avait vus au lac. Combien étaient-ils donc dans cette montagne ? Chaque soldat portait une combinaison thermique truffée de pochettes de toutes les grandeurs, une bonbonne d'oxygène, un casque émetteur-récepteur et des lunettes à infrarouge, sans oublier... quelques armes.

« Où est Ariane ? » s'inquiéta-t-il.

– Ne bouge pas, lui dit le plus grand des soldats pendant qu'il passait un scanneur devant son visage et son corps.

– C'est bon, dit l'autre homme en regardant son technocom. C'est bien lui et il est en état de marcher. Réveille sa copine et continuons.

La femme s'éloigna et Ben put voir Ariane endormie en position assise quelques mètres plus loin. Une gifle au visage la réveilla. L'adolescent serra les dents devant ce traitement brutal. Dès qu'elle fut debout, un soldat poussa dans le dos de Benjamin pour qu'il avance.

La tête lui tournait légèrement. Il se souvenait seulement de l'insecte aux yeux bleus. Il aurait aimé parler à Ariane, mais il y avait un soldat entre eux. Celui qui semblait le chef ouvrait la marche et la femme la fermait. Sans dire un mot, il avança donc. Pendant plus d'une heure, ils montèrent toujours plus haut dans la montagne. L'adolescent avait beau scruter les parois des murs, aucune flèche n'apparaissait. Ils étaient bel et bien en dehors du chemin prévu.

Alors qu'ils venaient juste de tourner dans un nouveau tunnel, un pan de mur glissa subitement derrière eux. Les trois soldats serrèrent plus fort leur arme entre leurs mains.

– Impossible de revenir sur nos pas, déclara la femme-soldat après avoir observé ce qui bloquait le tunnel.

Devant eux, une cavité plus grande avait été creusée et six carrés étaient gravés au sol. Benjamin observa attentivement les murs, aucune sortie n'était visible. Ils se trouvaient dans un cul-de-sac. Une voix se fit entendre.

> « Nul être de peu d'esprit et d'analyse ne peut traverser ce passage. Si vous ne jouez pas, vous mourrez de soif et de faim. Si vous jouez et que vous vous trompez, vous mourrez au fond d'un trou. Si vous jouez et que vous réussissez trois fois, le passage s'ouvrira pour vous, et vous seul. »

Ben connaissait son grand-père. Il n'y avait pas d'échappatoire. Il s'avança sur un des carrés et celui-ci s'illumina.

– Vous deux, restez là et surveillez la fille, lança le plus grand des soldats en avançant sur un carré à son tour.

Le sol sous lui devint blanc. Puis, les minutes passèrent.

– Qu'est-ce que c'est que cette histoire ? lança le soldat. Nous sommes prêts à jouer.

– Tout le monde doit jouer, les prévint Benjamin. Ou alors nous périrons tous ensemble...

Les trois comparses se regardèrent, figurant qu'ils n'avaient pas le choix.

– Allez, qu'on en finisse, ordonna celui qui était déjà en place.

Ariane s'avança aux côtés de Ben. Dès qu'ils furent tous installés, le carré inutilisé resta de la couleur du roc qui les entourait, quatre des carrés sur lesquels se tenait quelqu'un devinrent bleus et un seul vira au rouge. C'était celui du deuxième homme. La voix se fit entendre à nouveau :

> « J'ai des ailes et je ne suis pas un oiseau.
> J'ai des yeux, mais ce n'est pas pour voir.
> Qui suis-je ? »

– Des énigmes... bien sûr..., murmura l'adolescent pendant qu'un timide sourire apparaissait sur les lèvres d'Ariane.

– On est dans une grotte, répliqua le soldat. C'est évident. Une chauve-souris.

Aussitôt, une trappe s'ouvrit sous lui et, sans avoir le temps de réagir, il y tomba. Le plancher reprit sa place et Ben entendit l'homme hurler sous le roc. Puis, plus rien. Son propre carré devint rouge pendant que les trois autres restaient bleus. La voix reprit.

> « J'ai des ailes et je ne suis pas un oiseau.
> J'ai des yeux, mais ce n'est pas pour voir.
> Qui suis-je ? »

L'adolescent déglutit. Il devait donner la bonne réponse. *Ton grand-père te prépare depuis des années pour cette traversée sans que tu le saches*, avait écrit son père. Benjamin revit le vieil homme et son environnement... les longues marches en forêt et les heures d'observation de la flore et de la faune. Il revit les magnifiques dessins d'yeux sur les ailes des papillons. Ce camouflage qui imitait le regard d'un mammifère et qui servait à faire peur à leurs prédateurs.

– Un papillon, répondit-il. Un papillon ocellé.

Sous lui, son carré devint bleu ; puis celui du deuxième soldat mâle devint rouge.

> « Quand je vis, je dévore tout, mais, quand je bois, je meurs.
> Qui suis-je ? »

Le soldat fronça les sourcils et réfléchit. Il fallut plus d'une quinzaine de minutes avant qu'il tente une réponse.

– Le feu.

Ce fut au tour du carré de la femme de devenir rouge.

> « Vous êtes sur un canot de sauvetage en pleine mer. Vous avez un sac de vivres et un autre rempli d'or. Une tempête approche. Quel sac jetez-vous pour vous sauver ? »

La femme lança un coup d'œil angoissé à son compagnon. Il décida de l'aider.

– La nourriture te permettra de vivre.

– Mais l'or donnera plus de poids à mon canot pour qu'il traverse la tempête.

– Tu as raison, approuva l'homme.

– Je jetterais le sac de vivres, tenta la femme d'une voix forte.

Aussitôt, la trappe sous elle s'ouvrit et elle tomba dans un cri de terreur. Ce fut au carré d'Ariane de tourner au rouge, alors que le dernier soldat tenait plus fermement son arme.

> « Vous êtes sur un canot de sauvetage en pleine mer. Vous avez un sac de vivres et un autre rempli d'or. Une tempête approche. Quel sac jetez-vous pour vous sauver ? »

Par déduction, si la femme avait eu la mauvaise réponse, il suffisait à Ariane de répondre « Le sac d'or » pour s'en sortir, mais elle hésitait. C'était trop facile... sans logique. Pas du tout le genre de Zachary.

– Aucun, répondit-elle finalement avec un air de défi.

Le carré de Benjamin tourna au rouge pendant que le soldat regardait Ariane d'un air incrédule.

– Pour quelle raison me serais-je débarrassée d'un des deux sacs avant d'y être obligée ? lui demanda-t-elle.

Ben ne put s'empêcher de sourire à pleines dents malgré la précarité de leur situation. Ariane était bien la petite-fille de Zachary.

> « Je suis une bête qui marche sur la tête », dit la voix.

L'adolescent prit une grande inspiration et passa en revue toutes les bêtes petites et grandes, réelles ou fictives qu'il connaissait. Rien. Aucun animal ne marchait sur la tête.

C'était d'ailleurs impossible. Même parmi les insectes... Puis, un sourire se dessina sur ses lèvres.

– Un pou, dit-il à voix haute.

« Plus qu'une bonne réponse maintenant », calcula-t-il pendant que son carré redevenait bleu et que celui du soldat passait au rouge.

> « Voltaire a écrit : Cinq voyelles, une consonne / En français compose mon nom / Et je porte sur ma personne / De quoi l'écrire sans crayon. »

Benjamin se mit à espérer de toutes ses forces que l'homme ne connaissait pas cet écrivain d'un autre temps.

– Voltaire est un auteur né à la fin du dix-septième siècle, marmonna le soldat. La solution se trouve dans cette époque... et en français, sa langue maternelle.

Ce fut au tour de Ben d'être surpris. Dans sa tête, un soldat avait des muscles, des réflexes et, s'il était chanceux, un peu de logique, mais certainement pas des connaissances littéraires.

– Un oiseau, prononça distinctement le soldat.

Son carré devint bleu et celui d'Ariane reprit sa teinte de sang. Benjamin et le soldat avaient maintenant deux points chacun. Il en fallait trois.

> « Je viens de nulle part, mais puis être partout. Je voyage plus loin que tout aventurier. Souvent, vous m'avez rencontrée, mais sans jamais me voir.
> Qui suis-je ? »

Ariane fronça les sourcils. Benjamin avait beau se creuser la cervelle, il ne trouvait pas la réponse. Au bout d'environ vingt minutes, la voix reprit l'énigme. La sueur commençait à perler sur le front d'Ariane. Avait-elle un temps fixé pour répondre ? Les minutes s'égrenaient. Lorsque les paroles retentirent une troisième fois, Ben se souvint d'avoir déjà lu quelque chose de semblable dans un des livres de son grand-père. Lequel ? La solution était là... Sa pression monta d'un cran pendant qu'il passait en revue les livres de Zachary. C'était écrit à la main... dans une marge... Puis, la mémoire lui revint. Avait-il le droit d'aider

Ariane ? Pouvait-il parler ? Il décida d'être subtil et de lui faire compléter une phrase que Zachary répétait souvent.

– Sers-toi de ton...

– Imagination, chuchota-t-elle pendant que son carré redevenait bleu.

C'était au tour de Benjamin. S'il réussissait, il pourrait sortir. Et puis, quoi ? Que ferait-il ? Il ne pouvait pas laisser Ariane. Il lui jeta un regard angoissé.

– Tu ne lui as jamais désobéi, lui rappela la jeune fille, comme si elle lisait dans ses pensées.

> « Personne ne me veut, mais, quand on m'obtient, on ne veut pas me perdre. »

L'adolescent fixait Ariane... Elle savait qu'il ne voulait pas la laisser. Pourtant, elle venait de lui dire de réussir. Il s'accroupit sur son carré et se prit la tête dans les mains. Il devait trouver. S'il réussissait, une porte allait s'ouvrir pour lui et il disposerait de quelques secondes, peut-être quelques minutes pour se sauver.

Personne ne me veut... Les réponses étaient nombreuses : la maladie, la pauvreté, la souffrance... C'est la deuxième partie de l'énigme qui posait problème.

– Lorsque je l'ai, je ne veux pas le perdre, chuchota-t-il. Ou LA perdre...

Sans presque bouger, il changea de position pour se préparer à piquer un sprint. Puis, il dit à voix haute :

– La guerre.

À la vitesse de l'éclair, un tube jaillit du plafond et l'entoura, le protégeant ainsi du soldat qui l'avait mis en joue pour l'empêcher de partir. Le plancher se souleva. Le tube disparut au fur et à mesure que Benjamin traversait le plafond. Il se trouvait maintenant dans une pièce en tout point semblable à celle qu'il venait de quitter. Ce qui voulait dire qu'il était en mesure de savoir exactement où sortirait le soldat. L'idée de s'enfuir ne lui traversa même pas la tête. Il devait attendre Ariane. Le problème était que, s'il réussissait, le soldat apparaîtrait avant elle.

« Serais-je capable de le frapper suffisamment fort avec une roche pour l'assommer ? » se demanda-t-il.

Le soldat était armé.

« Oui... mais sa tête sortira avant ses bras et son arme », réfléchit-il.

Puis, l'adolescent eut une autre idée. Il enleva son sac et fouilla dedans à toute vitesse. Lorsqu'il mit la main sur ce qu'il cherchait, il prit place près du rond où apparaîtrait le soldat.

- 21 -
RONGEURS

Les minutes passaient et ses mains se mirent à trembler. Le mal de cœur arriva sans prévenir. Benjamin se mit à haleter comme s'il avait couru plusieurs kilomètres. Jamais il n'avait eu si peur d'accomplir un geste. Il n'était qu'un adolescent. Pas un soldat. Soudain, un bruit mécanique lui indiqua que le tube allait remonter. Avec son bras, il essuya son front couvert de sueur et fléchit les genoux, prêt à frapper.

Contre toute attente, ce fut le rond d'Ariane qui s'ouvrit à quelques pas de lui. Benjamin la regarda apparaître d'un air incrédule. La pensée que le soldat pouvait manquer son coup ne lui avait même pas traversé l'esprit. Ariane l'observa et ses yeux glissèrent sur le somnichoc qu'il tenait fermement dans son poing.

– Ç'aurait pu fonctionner, jugea-t-elle. Viens, il faut partir d'ici.

L'adolescent retrouva l'usage de ses membres et sa respiration reprit un rythme un peu plus normal. Il attrapa son sac et suivit Ariane. Pour l'instant, il n'y avait qu'un chemin possible et il descendait constamment. Ariane et lui finirent par arriver à une fourche et choisirent la voie qui descendait plus profondément dans la terre.

Benjamin avançait en espérant de tout son cœur voir apparaître son grand-père au détour d'un couloir. Il voulait retrouver ses parents et son frère. Parmi toutes les émotions qu'il vivait depuis la veille, l'inquiétude dominait et ne le quittait pas.

Ariane et lui poursuivaient leur route. Soudain, l'adolescente soupira et dit :

– J'ai hâte de sortir d'ici.

– Moi aussi. Pourvu qu'il n'y ait plus de mauvaises surprises.

– Je ne veux pas te décourager, répliqua Ariane, mais ça m'étonnerait. D'après ce que je sais de cette Zhara, elle n'a pas dû envoyer que six soldats à nos trousses.

– Je t'avoue que plus j'en apprends et plus elle me fait peur.

– Sais-tu que grand-père m'a dit qu'elle envoie des embryons humains sur Iskay ?

Les yeux de Ben s'agrandirent de stupeur.

– Mais... pour quelle raison ?

– Pour avoir plus de soldats. Les enfants sont censés naître sur Iskay et être entraînés dès leur plus jeune âge. Elle veut ensuite les amener ici et s'en servir pour prendre le contrôle de la Terre.

– C'est affreux !

– Oui. Si elle revient, Zhara mettra la planète à feu et à sang. Nous devons empêcher ça.

– Tu veux donc partir.

– Je vais partir. Ce n'est pas la même chose. Toute sa vie grand-père m'a protégée et j'ai été très heureuse ici. Si maintenant il me demande de partir, je le ferai !

Plus Benjamin en apprenait sur Zhara, plus il était scandalisé et inquiet. Plus il en apprenait sur Ariane, plus il était impressionné. Il en était là dans ses réflexions lorsqu'ils arrivèrent à l'entrée d'une troisième grotte. Ils s'arrêtèrent spontanément sur le seuil. Une pente douce descendait sur quelques mètres. Des stalactites et des stalagmites surgissaient du plafond et du sol. Une douce lueur éclairait cette grande pièce de roc.

– C'est magnifique ! laissa échapper Ariane. Pourquoi grand-père ne m'a-t-il jamais amenée ici ?

C'était une excellente question. Tout aurait été en effet si simple si leur aïeul leur avait fait découvrir l'intérieur de la montagne auparavant. Puis, la mémoire revint à Ben.

– Il devait vouloir attendre que nous soyons plus vieux. Après tout, Henri, l'autre Verrien, avait déjà sa place pour Iskay. Il n'avait pas besoin de nous.

– Oui, mais, si nous avions su, nous aurions pu nous préparer, voire les aider... Maintenant, on attend de nous que nous jouions les superhéros et sauvions l'humanité. Et nous, nous sommes prisonniers d'une montagne avec des tueurs d'élite à nos trousses.

L'adolescent ne savait pas quoi ajouter. Il est vrai que la situation le dépassait. Faute d'autre solution, ils devaient sortir de là. Mais quelle direction prendre ? Avant de s'engager dans la grotte, il en observa attentivement les murs. Il remarqua plusieurs petites niches un peu partout. Aucune n'était suffisamment grande pour qu'il parvienne à s'y faufiler. Bien sûr, les nombreux cônes de pierre lui cachaient la vue.

– On va devoir faire le tour complet, se résigna-t-il.

Au moment où il s'apprêtait à entrer dans la grotte, un objet sur sa droite attira son attention. Il s'agissait d'une planche à réacteurs qui était à demi cachée dans une cavité du mur. *Mets-toi dans la peau du champion de skiroulo que tu es*, avait écrit son père. Cette planche n'était pas là pour rien. Ben la retira de sa niche. Derrière, il découvrit un casque ainsi que des protège-coudes et des protège-genoux. Il donna le casque et la moitié de l'équipement à Ariane et enfila le reste. L'adrénaline commençait déjà à parcourir ses veines. Peu importe l'épreuve, il était prêt.

Sa planche sous le bras, il entra dans la grotte avec Ariane. Au bout d'une dizaine de minutes, ils arrêtèrent net. Un bruit de métal qu'on tord leur parvint. Benjamin observa le sol, le plafond, les murs.

Arrgghhh ! Des dizaines de gros rats s'échappaient des niches qu'il avait remarquées sur les murs de la grotte.

L'adolescent ne mit pas longtemps à constater que les jolies petites bêtes aux dents acérées se dirigeaient vers... eux ! Il voulut revenir sur ses pas, mais, dès qu'il fit un mouvement en ce sens, Ariane lui cria :

– La route est devant ! COURONS !

Elle avait raison. Revenir en arrière ne leur apporterait pas de protection. Si son père et son grand-père lui avaient fourni la planche à réacteurs, c'est que la sortie était quelque part devant eux. Sans réfléchir davantage, il mit sa planche au sol et embarqua dessus. Il démarra les réacteurs et accrocha Ariane par la main. Elle sauta devant lui comme lorsqu'ils avaient pris le chemin de lévitation. Son mouvement déstabilisa Ben, mais il parvint à redresser la planche. Ils eurent le temps de contourner deux stalagmites avant d'apercevoir un premier rat juste devant eux.

Ils passèrent au-dessus. Bientôt, ce fut une trentaine, puis une quarantaine et une cinquantaine de rats qui étaient à leurs trousses.

– Si on tombe, on ne se relève pas, marmonna Ben entre ses dents.

Ils contournaient les stalagmites toujours plus rapprochées les unes des autres en cherchant dans le roc un tunnel où ils pourraient s'engouffrer et continuer leur route.

Soudain, une stalactite se détacha du plafond et tomba à l'endroit exact où ils se tenaient quelques secondes auparavant. Le bruit de l'impact et la secousse qui l'accompagna firent sursauter le sportif. Quel était donc cet endroit ? Ils ne pouvaient aller plus vite et les rongeurs se rapprochaient sans cesse.

Après qu'ils eurent contourné un nouvel obstacle, les rats accélérèrent, comme mus par l'urgence d'agir. L'adolescent remarqua que certains rongeurs se positionnaient sur sa route et grimpaient les uns sur les autres pour être à leur hauteur. D'autres prenaient leur élan et sautaient dans les airs. Puis, ils claquaient des mâchoires à quelques centimètres de lui dans le but évident de lui arracher un bout de mollet.

– Ce n'est pas normal, cria Ben à Ariane.

– Ce sont des robots, lança l'adolescente. Qui sait de quoi ils sont capables ? Trouvons vite la sortie !

La peur au ventre, Benjamin balayait sans cesse le mur du regard. Il devait y avoir un nouveau tunnel... mais où ? Il contourna une autre stalagmite et le vit enfin.

Une ouverture dans le roc droit devant lui ! S'ils y parvenaient, les rats n'arriveraient plus de partout en même temps autour d'eux. Ils seraient forcés de passer eux aussi par cette fente. Alors, Ariane et lui pourraient se servir des pelles contenues dans leur sac pour se défendre en les assommant.

L'adolescent mesura la distance du regard. La planche avait été conçue pour triompher des rats, mais avec un seul passager. À deux, ils étaient trop lourds. Ils perdaient sans cesse du terrain devant les atroces petits mammifères robotisés. Benjamin comprit qu'ils ne parviendraient pas à atteindre son objectif. Sa décision fut vite prise.

– Tu vois la sortie ? cria-t-il à Ariane.

Elle hocha la tête affirmativement.

– Garde le cap et fonce droit dessus ! Recule ton pied gauche pour pouvoir t'appuyer dessus. Voilà, c'est ça ! Ouvre légèrement les bras pour garder ton équilibre. La planche va bouger un peu. Plie les genoux, ça t'aidera.

– Benjamin ? hurla Ariane, paniquée. Que fais-tu ?

– Je t'envoie sur Iskay !

L'adolescent sauta en bas de la planche et se mit à courir de toutes ses forces dans le but invraisemblable de réussir à parcourir les derniers mètres le séparant de l'entrée du nouveau tunnel avant qu'un des affreux petits monstres l'atteigne. Les yeux rivés sur son objectif et sur la progression d'Ariane, Benjamin ne vit pas le rocher devant lui. Il le percuta avec son pied droit et fut projeté vers l'avant. Il atterrit la tête la première. Au même moment, un rat mécanique enfonça ses crocs dans sa cuisse. Ben hurla et repoussa la bête de ses deux mains, s'attendant à sentir des centaines de griffes et de crocs perforer et déchiqueter sa peau dans les secondes suivantes.

À sa grande surprise, rien ne se produisit. Abasourdi, il vit les dizaines de rats le contourner sans le toucher. Les rongeurs couraient toujours derrière Ariane. Tremblant de tous ses membres, l'adolescent se remit debout. À chacun de ses pas, du sang coulait de sa blessure. Il pressa sa main sur celle-ci et avança en boitant vers le tunnel. Ariane venait d'en franchir le seuil et les rats s'amoncelaient devant l'ouverture, sans y entrer.

« Qu'est-ce qui les en empêche ? » se questionna-t-il.

Horrifié, Benjamin continua tout de même à s'y diriger. Les petits yeux rouges des rongeurs le suivaient. C'était une vision cauchemardesque. Pourtant, aucun d'eux ne bougeait. L'adolescent comprit alors que les rats l'avaient reconnu.

« Grand-père a dû enregistrer dans leur programme la composition de mon sang. Ils ne m'attaqueront pas. »

L'énigme de la cachette des formules scientifiques de son père biologique lui revint en mémoire pendant qu'un rat s'éloignait du groupe et avançait vers lui.

« *La terre qui monte et qui descend*... Bien sûr ! Les stalagmites et les stalactites. »

Ce n'était pas à proprement parler de la terre, mais plutôt de la roche calcaire. Toutefois, Benjamin savait depuis longtemps qu'on jouait souvent avec les mots dans les énigmes. *Le maître des fléaux* représentait bien entendu le rat, ce petit animal réputé responsable d'avoir propagé la peste et ainsi indirectement d'avoir tué des centaines de milliers de personnes au fil des siècles.

Lorsque le rongeur fut à ses pieds, il se laissa tomber sur le dos. Ben vit le contour d'un compartiment sous son ventre. Il ne put s'empêcher d'être dégoûté lorsqu'il prit le rat dans ses mains, même s'il savait qu'il s'agissait d'un robot. Il ouvrit la petite porte et en sortit une ancienne clé électronique rectangulaire. Il reposa le rat au sol et reprit sa marche vers Ariane.

Dès qu'il arriva à l'entrée du tunnel, tous les rats qui l'obstruaient complètement se tassèrent. Benjamin aperçut alors un mur d'une matière solide et transparente comme du verre qui fermait le passage. Il déposa sa main dessus et eut la surprise de le voir s'ouvrir. Il entra dans le tunnel sans que les rats cherchent à le suivre. Le mur se referma derrière lui.

Ariane le regardait comme s'il était un revenant. Étant donné qu'elle n'avait pu voir ce qui lui était arrivé, sans doute l'avait-elle cru mort sous la morsure des rats.

C'est à ce moment que les nerfs de Ben le lâchèrent. Il s'écrasa au sol en tentant de contenir le tremblement de ses mains pendant qu'Ariane se lançait vers lui.

– Tu es stupide ! lui cria-t-elle, furieuse. Tu aurais pu mourir !

– Toi aussi.

– Bien sûr que non. Tu étais là.

– Exactement ! confirma-t-il en la fixant d'un air de défi.

L'adolescent n'ajouta rien. Il avait l'impression de supporter tout le poids d'un aérovéhicule sur ses épaules. Il ouvrit son sac à dos pour en sortir des cellules souches en vaporisateur et un pansement de rapprochement pour fermer la plaie de sa cuisse.

Devant lui, Ariane faisait les cent pas en tournant en rond, incapable de se calmer. Benjamin déchira son pantalon avec son couteau et appliqua un jet de vaporisateur sur sa cuisse ainsi que sur chacune de ses mains. Puis, il mit le pansement.

Ne souhaitant pas rester à proximité des yeux rouges qui les fixaient toujours, il décida de reprendre sa marche sans consulter Ariane. Il se sentait à bout de nerfs. Il entendit sa compagne lui emboîter le pas en silence.

Étaient-ils en sécurité ici ? La fatigue se faisait durement sentir et chaque pas était plus lourd que le précédent. Ses yeux se fermaient tout seuls. Ariane le suivait en reniflant. L'idée qu'elle pleurait effleura l'esprit de Benjamin. Mais, complètement bouleversé lui-même, il ne se retourna pas.

Quelques mètres plus loin, il trouva un mince filet d'eau qui coulait de la paroi rocheuse et en profita pour remplir sa gourde. Il en but quelques gorgées et s'approcha de l'adolescente dont la colère, résultant de sa frayeur, s'envolait en même temps que son corps éliminait l'adrénaline produite. Gentiment, il lui tendit à boire. Puis, il lui prit la main et se remit en route.

Benjamin estimait qu'il devait être environ huit heures du soir. Ils avançaient maintenant depuis au moins quatre heures, en constante descente, sans rencontrer d'obstacle. Le champion de skiroulo avait annoncé à sa compagne de fuite qu'il avait trouvé les précieuses données de Nathan qui permettaient de créer des trous de ver. En suivant les parois toujours plus humides de la roche, ils discutaient de l'idée de détruire la clé électronique.

– Je ne suis pas certaine que nous ayons le droit de faire cela, avança Ariane.

– Le droit ? Je ne comprends même pas que personne ne l'ait encore fait. Imagine que quelqu'un tombe sur ces données et se mette à envoyer des gens dans d'autres époques pour s'en débarrasser ou, pire, pour modifier le passé !

– Si détruire ces formules scientifiques avait été une bonne idée, invoqua Ariane, je suis certaine que grand-père l'aurait déjà fait.

– Il n'y était pas obligé, fit valoir Ben. Tant qu'il vivait sur ses terres et qu'il était le seul à connaître l'emplacement de la clé, il n'y avait pas vraiment de risque.

– C'est un bon point, admit Ariane. Il est vrai que notre situation est très différente.

– Ces données sont en danger avec nous. Nous sommes recherchés par les mêmes personnes qui veulent se les approprier. Si nous les gardons et que nous sommes capturés, nous les perdrons. Si nous les cachons et que nous sommes capturés, nous pourrions bien être torturés jusqu'à ce que nous fournissions l'emplacement de la cachette. Si nous les gardons et que nous nous en sortons, à qui les remettrons-nous ? Dans tous les cas, les chances qu'elles tombent entre de mauvaises mains sont très élevées.

– Tu as raison. Toutefois, si nous les détruisons, personne ne le saura et nous pourrions bien être torturés aussi.

– Sauf si on nous voit les détruire.

Ariane s'apprêtait à demander plus de détails à l'adolescent lorsqu'ils atteignirent une autre grotte. Benjamin s'approcha lentement de la sortie en restant dans l'ombre du couloir. Un lac était bien visible quelques mètres plus loin.

Il jeta prudemment un coup d'œil vers l'étendue d'eau. Rien ne bougeait. En observant les alentours, il constata que trois autres couloirs débouchaient sur cet endroit. Est-ce que quelqu'un s'y cachait ? Le sable rouge à ses pieds lui indiquait qu'ils étaient parvenus au terme de leur périple dans la montagne.

Ils ne pouvaient pas se permettre d'attendre indéfiniment. Benjamin devait savoir si un ami de son père et de son grand-père était là pour les aider. Sous le regard d'Ariane, il ouvrit son sac et saisit son précieux livre en papier. Il prit son élan et le lança le plus loin possible sur le sol. Tous ceux qui avaient connu Zachary étaient au courant de sa passion pour les vieux livres et comprendraient que son petit-fils était là. Par contre, si c'était un soldat qui sortait de l'ombre, les adolescents repartiraient au pas de course dans leur tunnel.

À peine trente secondes plus tard, un homme en habit de plongée émergea d'un couloir.

– Ben ? chuchota-t-il.

Benjamin se rappela la consigne de son père.

– De quel pays viens-tu ? demanda-t-il prudemment.

– Mars.

Un seul mot. Ce n'était pas un pays. Ariane et lui pouvaient donc sortir de leur couloir. Ils se dirigèrent vers l'homme de quarante ans, qui ne put s'empêcher de montrer sa surprise en voyant l'adolescente.

– Êtes-vous suivis ? s'enquit leur sauveteur.

– Non, répondit Ben. Nous avons réussi à les semer. J'ignore pour combien de temps. Comment avez-vous su que j'étais ici ?

– Ton père m'a fait parvenir un message codé. Je m'appelle Jean. Mon rôle est de te faire sortir de cette montagne. Zachary n'est pas avec toi ?

– En fait, avoua Ariane, nous espérions qu'il serait ici.

– Nous avons entendu des soldats dire qu'ils l'avaient tué, mais nous ne les avons pas crus. Grand-père est plus futé que n'importe qui.

– Je vois, prononça Jean en hochant la tête.

– Et que voyez-vous, dites-moi ? s'insurgea soudain Ariane, agressive.

– Simplement que vous l'aimiez beaucoup, répondit l'homme.

– ... que vous l'*aimez* beaucoup, rectifia Ariane.

– Oui. Bon. Il n'est pas ici. Je suis désolé. Enfilez une de ces combinaisons de plongée le plus vite possible. Nous sortirons de la montagne par un passage sous-marin. Avez-vous déjà fait de la plongée ?

– Seulement virtuellement et dans une piscine, admit Ben, pendant qu'Ariane avouait ne rien connaître à ce sport.

Ils enfilèrent les vêtements isothermes, les palmes et les gilets stabilisateurs auxquels était fixée une bouteille contenant un mélange de gaz.

– Je vous guiderai, dit l'homme. Le plus important est de ne jamais paniquer. La sensation d'être entouré d'eau de toutes parts n'est pas toujours agréable au début.

Il prit le sac à dos de Ben et le lui fit enfiler de façon à ce qu'il recouvre son torse plutôt que son dos, où était la bouteille de plongée. Il agit de même pour Ariane. Il leur signala ensuite de descendre un peu dans l'eau et plaça sur le visage des adolescents un masque de plongée de même qu'une oreillette dans leur oreille droite. Au moment de descendre davantage dans l'eau, Benjamin se souvint de son précieux livre, dernier souvenir qu'il avait rapporté de chez Zachary. Il s'apprêtait à aller le chercher lorsque son guide lui fit signe de rester où il était et y alla à sa place.

À peine l'eut-il pris qu'une formidable explosion se fit entendre, et le sol trembla sous les pieds du guide, qui tomba à la renverse.

– Vite ! leur cria-t-il. Il faut fuir ! Je vous rejoins !

- 22 -

PLONGÉE

Sans attendre, Benjamin se lança dans l'eau en entraînant Ariane avec lui. Il mit le détendeur dans sa bouche et se mit à nager vers le fond. Il devait tirer sur le bras d'Ariane pour qu'elle suive. Les consignes qui leur parvenaient de leur oreillette étaient pourtant claires.

« Pour plonger, appuyez sur votre gonfleur. »

Pour quelle raison Ariane ne le faisait-elle pas ?

« Oh... Elle ne sait pas ce qu'est un gonfleur », comprit-il pendant que leur guide les rattrapait.

Il tira davantage sur le bras d'Ariane de façon à la ramener près de lui. Puis, il enfonça le bouton rouge sur le tube qui reliait la bonbonne d'oxygène de la jeune fille au détendeur qu'elle avait dans la bouche. Le gilet de l'adolescente se vida alors d'une partie de son air.

Maintenant, elle pouvait s'enfoncer dans l'eau à la même vitesse que lui. Ils nagèrent vers le fond du lac.

« Respirez normalement par la bouche », disait la voix enregistrée dans son oreillette.

Benjamin eut envie de l'envoyer balader. Respirer normalement ! Pfff ! Comme si c'était facile avec la bouche ainsi grande ouverte et pleine d'un appareil au goût de plastique.

Au loin, l'adolescent remarqua qu'un tunnel s'ouvrait. Devaient-ils y pénétrer ? Il ne semblait pas très large. Et s'ils restaient coincés ? Leur guide passa devant eux et s'y engouffra. Ariane plongea son regard dans celui de Ben quelques instants. Elle paraissait aussi incertaine que lui. Finalement, elle dut en venir à la conclusion qu'ils n'avaient pas d'autre choix, car elle s'élança vers le tunnel.

Le champion de skiroulo pressa sur son oreillette pour s'assurer d'entendre les directives suivantes et s'engagea dans l'étroit passage à son tour. Au fur et à mesure de sa progression, la voix lui dictait ce qu'il devait faire : enlever plus d'air de son gilet, respirer, ajuster la quantité d'oxygène, respirer, nager sur le côté, respirer, ralentir sa nage...

« Si elle me dit une autre fois de respirer, je balance mon oreillette au bout de mes bras », pensa Benjamin, excédé.

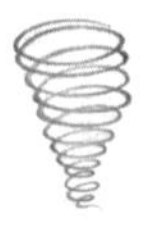

Après une quinzaine de minutes de nage, les deux adolescents aperçurent au loin la sortie de la montagne. Un regain d'énergie s'empara d'eux. Ils accélérèrent leur nage. Au moment où ils parvenaient à la fin du tunnel, Benjamin s'arrêta. Sur sa droite, un drôle d'engin était ancré au sol. Il s'agissait vraisemblablement d'un sous-marin. Deux gros yeux de mouche couvraient tout le devant de la structure. À l'arrière, il distingua trois hélices servant à propulser le véhicule. Il semblait conçu pour transporter un maximum de deux ou trois personnes.

Le jeune sportif se déplaça pour rejoindre son guide, qui se tenait au-dessus de l'engin. Là, il découvrit que le contour d'une porte était tracé. L'homme retira son gant et déposa sa main sur une petite plaque. Ses doigts s'enfoncèrent légèrement dans la substance qui la recouvrait et la porte s'ouvrit.

L'eau s'engouffra à l'intérieur. Le plongeur leur fit signe de faire de même. Les deux adolescents descendirent dans les yeux de mouche. Un tableau de bord se trouvait entre eux. À ce moment, la trappe vers l'extérieur se referma. Leur guide n'était pas entré.

Lentement, l'eau commença à se retirer du véhicule. Lorsque les pieds de Ben se posèrent au sol, il retira le détendeur de sa bouche et s'aperçut que la pièce se remplissait d'oxygène. Ariane l'imita avec un grand sourire. Les deux adolescents se sentaient plus en sécurité qu'ils ne l'avaient été dans les quarante-huit dernières heures.

Devant l'engin, le plongeur qui les avait guidés les regardait faire. Il frappa légèrement sur la vitre et leur fit signe du bras vers la direction qu'ils devaient prendre.

– Je me demande pour quelle raison il n'est pas entré, s'interrogea Ariane.

– J'imagine que nous accompagner ne faisait pas partie de sa mission.

Lorsque toute l'eau fut évacuée, un souffle de chaleur se propagea autour d'eux, faisant s'évaporer les dernières traces d'eau. Ariane et Ben conservèrent leur habit de plongée, mais retirèrent tout ce qui était superflu, comme leur veste de sauvetage et leur bonbonne.

Puis, ils étudièrent le tableau de bord.

– Comment ça fonctionne ? demanda Ariane.

Benjamin avait déjà repéré le bouton marqué d'un cercle et d'une barre, signe universel de mise en fonction d'un système. Il appuya dessus. Sur la vitre devant eux cinq destinations s'affichèrent.

– Nous devons aller le plus loin possible, s'empressa de conseiller Ariane.

– C'est vrai qu'il est probable que des soldats nous attendent dans les complexes près d'ici.

– De même que dans le tien.

– Ça nous laisse trois choix, calcula Ben en observant le tableau, dont deux sont des complexes en plein centre du Canada.

– Tu penses que cet engin se transforme en aérovéhicule ?

– Il faut le croire, sinon nous serions beaucoup trop visibles.

– Je n'ai pas vraiment le goût de courir de risques. Quelle est la dernière destination ?

– Je n'en suis pas tout à fait certain, mais je pense que c'est un complexe marin.

– Choisissons celui-là !

« Trois heures et dix-huit minutes », dit une voix féminine dans l'habitacle lorsque Ben eut sélectionné la destination.

Le véhicule vibra et se mit en mouvement sans que les adolescents aient à faire quoi que ce soit. Dès qu'ils partirent dans la direction qu'il leur avait indiquée, ils virent leur guide au volant d'une motomarine submersible leur envoyer la main et partir dans une autre.

Tout d'abord impressionnés de voyager ainsi au fond de la rivière, qu'ils n'auraient jamais crue si creuse, Ariane et Benjamin regardaient le paysage sans parler.

– Nous devons mettre à profit les trois heures dont nous disposons, décréta Ariane.

– Oui, approuva Ben. Dormir et manger doivent être nos priorités si nous voulons tenir le coup. Qui sait ce qui nous attend ? Tu devrais dormir la première.

– OK, mais réveille-moi dans une heure et quart sans faute.

Tout en mangeant le contenu d'un sac de protéines, l'adolescent observa le vaisseau. Outre les deux sièges à l'avant, il y avait un petit espace de rangement derrière. Trois coffres étaient déposés l'un à côté de l'autre. Ben souleva le premier couvercle et découvrit de l'équipement de plongée. Dans le second, des vêtements, du matériel de soins et de la nourriture étaient entreposés dans des sacs hermétiques. Finalement, le troisième contenait un cabinet de toilette, dont la structure se déplia lentement, créant un écran opaque qui le cachait à la vue d'Ariane.

Il se glissa derrière et entreprit de faire un brin de toilette. Il soigna aussi ses plaies. Puis, il retourna à sa place et repéra sur la console les boutons d'urgence, les commandes de conduite manuelle et celles d'arrimage à la station où ils se rendaient.

L'adolescent appuya finalement sa tête sur le dossier de son siège. Il passa machinalement le pouce sur son tatouage et regarda le paysage marin changer à nouveau. D'après la carte qui se déployait directement sur la vitre devant lui, leur rivière s'était jetée dans un fleuve qui grossissait sans cesse et se jetterait lui-même dans l'océan Atlantique dans quelques minutes. Leur décision de rester sous l'eau était sans aucun doute la bonne. Les gens de Zelfor n'avaient probablement pas prévu cette fuite surprenante.

« Nous croient-ils encore dans la montagne ? » se demanda-t-il. « Et de quels moyens disposent-ils pour nous retrouver à notre sortie ? »

À nouveau, la peur lui serra le ventre. Ses pensées bifurquèrent tour à tour vers son père, sa mère, Jacob et Zachary.

Étaient-ils tous morts ? L'étrangeté de la situation et surtout l'ampleur que prenaient les événements l'effrayaient.

Après avoir réveillé Ariane, Benjamin s'était endormi à son tour. Une heure et quart plus tard, Ariane et lui n'étaient maintenant plus qu'à quelques minutes d'atteindre le complexe flottant. Ils enfilèrent des vêtements civils qu'ils prirent dans le deuxième coffre. Puis, ils observèrent le choix de teintes et de couleurs proposé.

– Le gris et le noir n'attireront pas l'attention, affirma Ariane.

Avec un peu de chance, on les cherchait encore le long de la rivière, sur les terres de Zachary, et personne ne se doutait qu'ils avaient parcouru une si grande distance sous l'eau. Sans certitude, cependant, passer inaperçu était essentiel.

Les deux adolescents avaient un autre avantage. On ne savait pas qu'ils étaient deux. Tous ceux qui avaient vu Ariane dans la montagne étaient morts. De plus, Zachary avait dit qu'elle n'avait pas d'identité, donc elle était indétectable.

– Lorsque nous serons à l'extérieur, lui conseilla Ben, ne touche à rien. Tu ne dois laisser tes empreintes digitales nulle part.

– Et toi ?

Benjamin leva son index pour lui faire signe d'attendre une seconde. Il glissa sa main sous son chandail et repéra sur sa poitrine la boursouflure laissée par l'empreinte digitale trouvée dans le coffre dans la montagne. Il tira dessus de toutes ses forces. Un gémissement de douleur jaillit d'entre ses lèvres au moment où il parvint à l'arracher. Délicatement, il déposa la pellicule sur son index droit et elle s'intégra à nouveau à sa peau.

- 23 -

NOUVELLE IDENTITÉ

À leur grand soulagement, les deux adolescents n'eurent pas à faire surface pour amarrer leur véhicule. Le complexe flottant possédait de nombreux étages sous l'eau, avec des quais d'accueil pour les véhicules sous-marins. Dès que leur ordinateur eut demandé la permission d'entrer, on leur assigna un numéro de porte. Une fois devant, l'engin se déposa sur deux rails. La porte du complexe s'ouvrit alors et leur véhicule fut remorqué à l'intérieur. La salle était à peine plus grande que leur sous-marin. Il fallut environ deux minutes pour que toute l'eau de mer soit évacuée vers l'extérieur et qu'Ariane et Benjamin puissent sortir.

D'un pas assuré et la tête baissée, ils quittèrent le quai pendant qu'une deuxième porte s'ouvrait et que leur véhicule continuait sa route vers un stationnement. Les deux adolescents pénétrèrent dans le terminal. Ils se hâtèrent de repérer une cabine de communication et s'en approchèrent. Ben glissa son index recouvert par la peau synthétique sur la plaque métallique de la porte. Dès qu'elle s'ouvrit, ils s'engouffrèrent dans la petite pièce.

Le local contenait un écran, un clavier et un casque avec traducteur intégré. Benjamin passa son index sur la plaque d'identification et, quelques secondes plus tard, il eut accès à une messagerie et à deux banques chiffrées. Il constata que les comptes en banque étaient au nom d'Antoine Tanguay.

L'adolescent décida de débuter par les messages. Il y en avait deux. Le plus ancien provenait de son grand-père, qui lui donnait les numéros d'identification pour les comptes en banque. Le second message ne contenait qu'un numéro d'intercell.

– Tu devrais commencer par les comptes, suggéra Ariane. Avec un peu de chance, on aura assez de crédits pour se cacher.

Benjamin ouvrit les pages d'accueil des deux banques, glissa à nouveau son index sur la plaque et pianota les numéros d'identification. Il retint sa respiration en constatant le grand nombre de crédits contenus dans chacun d'eux.

– Wow ! s'exclama-t-il. Avec ça, on va pouvoir manger, dormir et se cacher un bon bout de temps.

Benjamin décida de composer le numéro d'intercell. Un homme apparut immédiatement à l'écran.

« Bonjour, Antoine », dit-il. « Je suis très content de te parler et surtout de constater que tu vas bien. Plusieurs personnes attendaient impatiemment cette bonne nouvelle. Je te demande de ne pas parler, car ta voix est retraçable. »

L'adolescent hocha la tête pendant que le regard de l'homme passait d'Ariane à lui sans arrêt. Il semblait surpris.

« Plusieurs mots peuvent être pistés. Je ne les emploierai donc pas. Tu devras te débrouiller pour lire entre les lignes. Tu dois quitter l'endroit où tu te trouves dès la fin de mes paroles. Je sais de source sûre qu'à l'heure où nous nous parlons, personne ne t'a encore... Mais ça ne saurait tarder. »

Ben hocha de nouveau la tête comme un pantin. Il avait compris que l'homme ne voulait pas prononcer le mot : « repéré ».

« Tu vas utiliser ton empreinte digitale pour te rendre à la station aérienne du terrain du printemps dans le deuxième État commençant par un I. Là, tu trouveras une carte ER et de nouvelles directives dans une case à laquelle ton empreinte te donnera accès. Avant de partir de l'endroit où tu te trouves, procure-toi un peu de nourriture. N'achète pas tout au même endroit et autant que possible sers-toi des distributeurs. Ceux qui te cherchent doivent surveiller les achats enregistrés dans les boutiques des différentes bases aériennes. Ils sont sans doute persuadés que tu feras une erreur quelque part. Marche la tête basse. Dès que tu le peux, achète-toi un masque anticontagion. Il cachera une bonne partie de ton visage. Tu as tout noté ? »

À nouveau, l'adolescent approuva.

« Ah, j'oubliais... les animaux de compagnie sont acceptés sur ton vol. Tu devras toutefois placer le tien dans un compartiment différent. Si tu l'as trouvé où je pense, n'oublie pas de bien protéger ses pattes. »

Sans attendre, l'homme mit fin à la conversation.

– C'est moi, l'animal de compagnie ? demanda Ariane, insultée.

– J'imagine, rigola Ben. Que peut bien être le « terrain du printemps » ? Il ne fait aucun doute que c'est un lieu.

– Il a parlé d'États. Donc, cette station doit se trouver sur le territoire des États-Unis. À ma connaissance, les noms de quatre États américains commencent par un I : l'Iowa, l'Idaho, l'Indiana, l'Illinois. L'homme a spécifié qu'il parlait du deuxième État. Lequel est le plus important ? Devrait-on faire une recherche informatique ?

– Non. C'est trop risqué de chercher un lieu sur un terminal public dans notre situation. Nous allons devoir nous servir de notre tête.

– OK... Le classement le plus simple de tous les temps est l'ordre alphabétique.

– Il s'agit donc de l'Illinois, déduisit l'adolescent.

– Mais oui ! Bien sûr ! s'exclama Ariane. Il y a un Springfield[6] dans l'Illinois.

Benjamin réserva deux places sur un vol direct vers cette station, puis il éteignit l'écran et ils sortirent de la cabine. Gardant la tête basse, ils se rendirent au premier distributeur qu'ils virent. Heureusement, il y avait des masques anticontagion. Ben appuya sur les touches pour commander deux masques, deux casquettes et des bouteilles d'eau. Il paya grâce à sa nouvelle empreinte digitale et aux comptes bancaires qui y étaient associés.

Il leur restait une heure avant le départ de leur navette. L'adolescent souhaitait suivre les directives de l'homme à la lettre.

---

[6] *Spring* signifie printemps et *field*, terrain.

Il repéra une boutique qui vendait des vêtements et s'y dirigea. Il n'avait pas parcouru vingt pas qu'un hologramme apparut devant lui. Sa propre image se mit à tournoyer sous ses yeux. Le mot « recherché » brillait sur le sol avec un numéro d'intercell.

Instinctivement, il resserra le masque qui couvrait le bas de son visage. Combien y avait-il d'hologrammes et d'écrans qui diffusaient son image en ce moment ? Son cœur accéléra sa course et il ne put s'empêcher de lancer des regards à droite et à gauche.

– Respire, Ben, l'exhorta Ariane en posant une main sur son bras. Arrête de regarder de tous les côtés. Nous sommes ensemble. Ton visage est masqué. Personne ne fait attention à toi.

Elle disait vrai. Ils continuèrent leur chemin en s'efforçant de garder l'air le plus naturel possible. Les adolescents entrèrent dans la boutique et prirent la première paire de gants qui leur tomba sous la main. Benjamin paya l'achat à la borne. Ils se rendirent ensuite dans une boutique de nutrition et achetèrent l'équivalent de quatre repas en denrées. Ils prirent bien garde de ne pas exagérer pour ne pas attirer l'attention. Ils regardèrent au sol et marchèrent le plus près possible d'une famille qui passait par là, comme s'ils en faisaient partie.

En passant devant un magasin d'informatique, l'adolescent se rappela la clé contenant les données scientifiques de Nathan. Il tourna les talons, entra et acheta un nouveau technocom. Lorsqu'il sortit, Ariane l'attendait à quelques pas de là. L'adolescent lui fit signe de le suivre et pénétra à nouveau dans une cabine de communication. Lorsque la jeune fille fut entrée, il referma la porte et se plaça devant elle.

– Tu prends le technocom et tu me filmes. Fais bien attention de ne filmer que mon visage et ma main.

Il lui tendit l'objet et entreprit d'enlever son masque, sa casquette et son chandail. Lorsqu'il fut torse nu, il sortit de sa poche la vieille clé électronique. Ariane, qui était restée silencieuse jusque-là, comprit enfin ce qu'il voulait faire. Elle approuva de la tête. Ben plaça la clé vis-à-vis de sa poitrine, de façon à ce qu'on la voie bien.

– Vas-y ! dit-il.

Lentement, de façon à ce que chacun de ses gestes soit visible et filmé, il la tourna entre ses doigts et l'amena vis-à-vis de son visage. Puis, il étira le bras vers une borne de déchiquetage ultraperformante. Il y inséra la clé. Il entendit la broyeuse faire son travail et sourit candidement pendant qu'Ariane ramenait la caméra vers son visage.

Dès qu'elle eut fini, les deux adolescents visionnèrent leur petit film de quarante secondes.

– C'est parfait, dit Ben en se rhabillant. Tu m'as filmé de tellement proche qu'il n'y a aucun moyen de savoir où nous sommes.

– C'était une bonne idée d'enlever tes vêtements. Comme ça, Zhara ne pourra pas s'en servir pour te repérer dans les stations et reconstituer ton itinéraire.

Ariane remit le technocom à Ben et ajouta :

– Tu as conscience de ce qu'on vient de faire, hein ? On vient de détruire la plus grande trouvaille scientifique de tous les temps. Ton petit sourire... à la fin... ça va la rendre folle de rage...

Les deux adolescents étaient aux anges. Après ce qu'ils venaient de traverser, rien ne pouvait leur faire plus plaisir. Ils sortirent de la cabine et allèrent s'asseoir sur un banc orange, tout près de la porte menant à leur navette. Ariane appuya sa tête sur l'épaule de Ben et ferma les yeux pour simuler qu'elle dormait. L'adolescent se mit à pianoter sur son technocom. Pendant une demi-heure, tête penchée, il appuya sur les touches comme s'il jouait à un jeu quelconque.

Lorsque enfin ils purent embarquer, ils ne perdirent pas de temps et se hâtèrent de choisir un siège. Ariane alla s'asseoir dans le compartiment avant de l'appareil, tandis que lui se dirigeait vers l'arrière. Il choisit une place près d'une fenêtre et ferma les yeux lorsque le véhicule décolla. Une autre étape de réussie.

Malgré tout, Benjamin fut incapable de se détendre pendant les deux heures que dura le trajet. À leur arrivée, ils avaient parcouru un peu plus de mille quatre cents kilomètres. L'adolescent enfonça sa casquette sur sa tête et remit son masque.

Il se glissa ensuite au milieu des passagers de façon à passer le plus inaperçu possible. Des yeux, il suivait Ariane, qui le devançait de quelques pas. À ce stade, les consignes de leur contact n'étaient pas claires et les adolescents n'étaient pas certains qu'ils pouvaient se promener ensemble. Dans le doute, ils s'en abstinrent.

Ariane s'assit sur un siège et Ben passa devant elle sans s'arrêter. Il avait repéré une borne d'informations, un peu plus loin. Il s'y rendit et tapa le mot : « case ». Un tracé lui indiquant le chemin à suivre apparut. Il le mémorisa et reprit sa marche dans la station. Ariane s'était relevée et le suivait de loin.

Lorsqu'il parvint à la rangée de cases mauves, Benjamin plaça son empreinte digitale sur l'écran d'accueil et découvrit le numéro de sa case ainsi que le code à six chiffres lui permettant de l'ouvrir. Comme l'homme le lui avait dit, une carte ER l'attendait. Cela lui permettrait dorénavant de payer ses achats sans utiliser son empreinte digitale. Ainsi, si par hasard Zhara avait découvert sa nouvelle identité et retrouvé sa trace, elle la perdrait très bientôt. L'adolescent retira du coffre une oreillette messagère et la plaça sur son oreille.

« Félicitations ! Nous sommes soulagés de te savoir arrivé jusqu'ici. Prends la carte ER et achète un vol pour Vienne en Autriche. Mets la puce passeport qui est dans la case à l'intérieur de la montre-bracelet qui s'y trouve également. Cela te permettra d'entrer dans le pays sans problème. Arrivé sur place, utilise les portes "invités du pays" pour passer les douanes. Nous t'attendons. »

Benjamin était catastrophé. Il n'y avait rien pour Ariane. Et, même s'il avait assez d'argent pour acheter deux vols, elle n'avait pas de passeport pour les pays européens. Il remit l'oreillette dans la case et ne verrouilla pas la porte. Il s'assit quelques mètres plus loin et attendit. Au bout de deux minutes, Ariane saisit le message et se rendit à la case à son tour. Elle s'empara de l'oreillette et prit connaissance du message.

Lorsqu'elle eut terminé, elle laissa tomber l'oreillette au sol et la détruisit d'un coup de talon. Il ne fallait pas laisser de traces. Elle la ramassa et la jeta dans une poubelle. Benjamin ne bougea pas. Elle vint s'asseoir sur le même banc que lui, son masque toujours bien placé sur son nez et ses lèvres.

– L'homme avec qui tu as parlé à la station marine sait que je suis ici, chuchota-t-elle en faisant comme si elle pianotait à l'intérieur de sa main. Ils vont venir me chercher.

– Et si Zelfor arrive avant ?

– C'est toi qu'ils cherchent, lui rappela l'adolescente. Ils ne savent même pas que j'existe. Tu dois partir, et vite. Moi, j'attendrai.

– Je vais acheter mon vol puis te laisser la carte ER. Tu pourras ainsi te nourrir et te loger quelque temps sans attirer l'attention. Dès mon arrivée, je vais m'assurer qu'on envoie quelqu'un si ce n'est pas déjà fait.

– Nous sommes les deux seules personnes qui puissent sauver les humains de la domination de Zhara... Crois-moi, les cosantays ne me laisseront pas ici.

Benjamin accepta la logique d'Ariane. Il retourna à la case et y déposa le technocom contenant la preuve de destruction des recherches de Nathan. Puis, il suivit les instructions qui lui avaient été données et, avant de partir, laissa sa carte ER sur une table. Ariane s'en empara discrètement quelques secondes plus tard.

Lorsqu'il débarqua à Vienne, la foule était telle que Benjamin mit quelques minutes à se repérer. Il emprunta le passage « invités du pays » en jetant un œil aux trois longues files de passagers qui devaient prendre les portes publiques. Le disque dans sa montre avait été bien programmé. Il passa les douanes sans même qu'on lui adresse la parole.

De l'autre côté, il marcha sans but, toujours la tête baissée, en se demandant s'il ne devait pas signaler d'une façon ou d'une autre son arrivée.

– *Guten Tag, Herr* Antoine.

Ayant reconnu le prénom de sa nouvelle identité dans la formule de salutation en allemand, l'adolescent tourna la tête. À ses côtés marchait une grande femme blonde qui avait synchronisé son pas avec le sien. Elle lui fit un gentil sourire.

– Je n'ai pas mon oreillette traductrice, spécifia Benjamin en français, et je ne comprends pas l'allemand. Nous pouvons parler français, anglais, espagnol, mandarin ou hindi.

– Nous parlerons français, dit la femme avec un fort accent.

– Qui êtes-vous ?

– Amie. Vous appeler moi Amalia.

– Avant d'aller plus loin, j'ai trois demandes.

– Nous porter secours à ton amie, devina la femme. Elle va bien. Deuxième ?

– Avez-vous des nouvelles de ma famille ?

– Frère et mère, en lieu sûr. Père prendre fuite. Nous sans nouvelles. Mais normal. Avoir nouvelles bientôt.

– Et mon grand-père ?

Amalia soupira.

– Je suis très triste, moi devoir annoncer événement... sombre. Grand-père mort. Information confirmée.

Comme un automate, Benjamin continua d'avancer en fixant le sol. Sa gorge était prise dans un étau et ses lèvres étaient soudées l'une à l'autre. Refusant de pleurer devant cette femme, il se força à entrouvrir les lèvres et annonça d'une voix neutre :

– J'ai détruit la clé électronique contenant les recherches de Nathan. J'ai fait cela à Springfield et j'ai laissé la preuve dans la case de mon passeport. Si vous en avez le pouvoir, j'aimerais que ce film soit envoyé à Zelfor.

En disant cela, Benjamin sentit une bouffée de colère monter en lui. Il voulait blesser cette Zhara aussi durement qu'elle venait de le blesser. La destruction de cette clé n'était qu'un début.

– Pas de problème, affirma Amalia. Vous maintenant beaucoup amis avec ça... et aussi beaucoup ennemis. Je pense... bonne décision. Longtemps quelqu'un aurait dû faire ça.

Benjamin hocha la tête et demanda :

– Où allons-nous ?

– Nous pensons être temps toi changes apparence.

ÉPILOGUE

Benjamin ouvrit doucement les yeux. Il était toujours couché dans le même cocon, mais plus aucun tube ne sortait de son nez, de ses bras et de ses jambes. Les bandages de son visage avaient été enlevés et la douleur semblait s'être envolée avec eux. Il avait faim. Terriblement faim.

D'un mouvement de la main, il retira le dôme de son lit et s'assit. La tête lui tournait un peu. Il déposa les pieds au sol et se mit debout. Il était plus grand de quelques centimètres.

Un miroir sur pied était posé dans un coin de la chambre. Benjamin s'en approcha. Il ne reconnut pas l'adolescent devant lui. On avait complètement remodelé son visage. Il passa doucement ses doigts sur ses joues comme pour vérifier qu'il s'agissait bien de lui. La couleur de ses cheveux et de ses sourcils était changée. Son menton et son nez avaient été refaits et il avait maintenant des pommettes. Son vêtement moulait son torse. Son long sommeil n'avait pas entamé ses muscles de sportif.

« Ils ont dû me gaver de protéines, pensa-t-il. Tant mieux ! Les prochaines semaines seront facilitées. »

Benjamin ne se faisait pas d'idées. Il savait qu'un difficile entraînement l'attendait. Il devait se refaire une identité et, surtout, une excellente forme physique dans l'espoir qu'on retienne sa candidature pour le concours Destination Iskay.

Depuis sa fuite dans la montagne, sur les terres de son grand-père, c'était son unique objectif ! Il voulait partir pour cette nouvelle planète et ainsi parvenir à empêcher Zhara, la dirigeante de Zelfor, de dominer la Terre.

« Et lui faire payer la disparition de ma famille », ajouta mentalement Ben, pendant qu'à nouveau la colère obscurcissait son cœur.

À SUIVRE...

À PARAÎTRE

SECONDE TERRE

TOME 2 - IDENTITÉ CACHÉE

Pour tout savoir sur Priska Poirier, ses romans et ses conférences, rendez-vous sur :

www.PriskaPoirier.com

De la même auteure

De la même auteure

De la même auteure

Achevé d'imprimer au Canada
sur papier 30 % recyclé
sur les presses de Imprimerie Lebonfon Inc.

procédé sans chlore

30 % post-consommation

archives permanentes